D0992581

Ryszard Kapuściński

Ryszard Kapuściński

LAPIDARIUM V

Czytelnik · Warszawa
2004

Opracowanie graficzne
Andrzej Heidrich

Spółdzielnia Wydawnicza „Czytelnik"
ul. Wiejska 12a, 00-490 Warszawa
http://www.czytelnik.pl
Warszawa 2004. Wydanie II
Ark. wyd. 4,9; ark. druk. 8
Druk i oprawa: Drukarnia Wydawnicza
im. W. L. Anczyca S.A., Kraków
Zam.wyd. 729; zam. druk. 187
Printed in Poland

ISBN 83-07-02977-5

To, co teraz nastąpi, czerpie możliwie jak najwięcej z owej porowatej gąbki, bezustannie wdychającej i wydychającej ryby wspomnień, piorunujące związki czasów, krajów, materii, które powaga, ta zbyt solenna dama, uznałaby za nie do pogodzenia.

Julio Cortazar

Zawsze zwracałem się ku innym widnokręgom, zawsze starałem się wiedzieć, co dzieje się gdzie indziej.

Emil Cioran

„58-letni bezdomny mieszkaniec Leszna, który ukradł swojemu znajomemu 8 tys. marek, a następnie rozdał część innym bezdomnym, stanie przed sądem. Akt oskarżenia w tej sprawie skierowała do sądu prokuratura rejonowa. Bezdomny »Janosik« rozdał 2 tys. marek swoim współtowarzyszom z noclegowni dla bezdomnych w Lesznie, za pozostałe pieniądze wyjechał w podróż po Polsce. Przez kilkanaście dni podróżował. Na dworcach kolejowych w Poznaniu, we Wrocławiu i Kaliszu kupował ludziom bezdomnym jedzenie i rozdawał ukradzione pieniądze. Zgłosił się na policję sam po tym, jak z prasy dowiedział się, że okradziony przez niego znajomy umarł na zawał serca". („Gazeta Wyborcza", 6 kwietnia 2000).

Toż to gotowy scenariusz filmowy! Ale czy wszystko nie jest gotowym scenariuszem filmowym?

Niedziela, 4 marca 2001

Meksyk. Jedziemy na śniadanie do pięknej dzielnicy – San Angel. Restauracja w stylu kolonialnym – mury z czerwonego tufu, łuki z jasnego piaskowca, z tego samego kamienia wysokie, zdobne portale. Lokal nazywa się Fondo de Santa Clara i jest miejscem porannych spotkań tych, którzy mają dużo pieniędzy. Po drodze mija się już czynne (zresztą otwarte całą dobę) ogromne, pyszne, przeobfite rynki kwiatów. Pełno róż, goździków, azalii i petunii, góry zieleni, bukietów i wiązanek. Sama restauracja też tonie w kwiatach i na szczęście – w cieniu, bo mimo iż to ranek, już jest upalnie, już słońce dopieka.

Śniadanie meksykańskie: *jugo de naranja, tacos al pastor, galletas, cafecito* (ale możliwa jest kombinacja dziesiątka innych soków, mięs, jarzyn, owoców, przypraw i ciast). Na wielkich stołach wznoszą się piramidy wszelkiego jadła, stoją dzbany pełne napojów, a w glinianych misach spoczywa, zanurzony w lodzie, pokraczny świat *frutti di mare*. Kelnerzy na miejscu wyciskają ze świeżych owoców soki, tną długimi nożami meksykańską odmianę *prosciuto*, smażą jajecznice i omlety.

Potem samochodem na Plaza San Jacinto, na Calle del Arbou, wszystko to w kolonialnej dzielnicy willowej, luksusowej, zacisznej, wzdłuż ulicy: wysokie, kamienne mury, za którymi – tego możemy się tylko domyślać, bo na zewnątrz nie widać nic – ogrody, drzewa, kwietniki, fontanny i sadzawki, półcień, chłód i cisza.

Dalej, następna urocza i zamożna dzielnica – Chimalistac, a za nią inna – Coyoacan – tu stoi dom, ostatni dom Octavio Paza. Kiedy przejeżdża się samochodem, kierowca wyłącza silnik: w tak ważnym miejscu wypada zachować ciszę.

lato 2001
Nocnym pociągiem z Moskwy do Rygi. W dwuosobowym przedziale wagonu sypialnego siedział naprzeciw mnie starszy, niski, barczysty mężczyzna. Po kwadransie rozmowy sięgnął do brązowej, ceratowej torby i wyjął z

niej słoik z ogórkami, bochenek razowego chleba i butelkę wódki. Pokroił chleb, podzielił ogórki, nalał mnie i sobie po pół szklanki.

– No! – powiedział zapraszająco i podniósł szklankę. Wypiliśmy. Jego twarz wyrażała teraz ulgę i zadowolenie. Przedstawił się: – Siergiej Iwanowicz Sielajew, pułkownik w stanie spoczynku, Bohater Związku Radzieckiego.

Powiedziałem mu, jak się nazywam. Zaczął mnie wypytywać o Polskę, o Warszawę. W jakimś momencie wspomniałem, że urodziłem się w Pińsku, na Polesiu.

– A, Polesie! – ożywił się Sielajew. – Tak, to było tam, na Prypeci. Szliśmy ofensywą na zachód. Byłem prostym szeregowcem. Nasz batalion miał przeprawić się przez Prypeć, ale na przeciwnym brzegu Niemcy okopali się głęboko, mieli silne fortyfikacje, czuliśmy, że będą bronić się do ostatka. Była wczesna wiosna, rzeka rozlała szeroko, wyglądała jak morze.

Kończyła się noc, kiedy ruszyliśmy na pontonach. Płynęliśmy cicho, żeby ich zaskoczyć, ale kiedy znaleźliśmy się w połowie rzeki, na niebie pojawiły się rakiety. Zrobiło się jasno. – Czort, pomyślałem, to koniec! Niemcy otworzyli ogień, spadła na nas lawina pocisków, usłyszałem krzyki. Ludzie skakali do wody. Ale nasz ponton płynął dalej, aż dobiliśmy do gęstych szuwarów. Weszliśmy między porosty, nogi grzęzły w ciężkim, lodowatym błocie. Człowiek myśli wtedy, żeby tylko dojść do celu, ale co jest celem – nie wiadomo. Niemcy? Twardy grunt? Schowek, żeby nie trafili? Wszystko było celem.

Niemcy jakby z ziemi wyrośli. Szli na nas. Strach, przerażenie, ale trzeba iść do przodu, nie ma wyboru. Tu Niemcy, ale z tyłu wrzeszczy lejtnant, kto zacznie się cofać – zastrzeli. W końcu widać sam musiał dostać, bo jakoś mi zniknął i więcej go nie widziałem. Rano przyszła ulewa. Padało do wieczora. Cały byłem umazany w błocie, musiałem wyglądać jak diabeł, ale już nie myślałem o niczym, bo Niemcy uderzyli ponownie i zaczęli spychać nas do rzeki. Znowu pomyślałem – koniec, bo w wodzie człowiek ledwie się rusza, łatwo go ustrzelić. Ale nie mogliśmy utrzymać pozycji. Ja też zacząłem uciekać w stronę rzeki. Nagle poczułem straszny ból w nodze, bo wpadłem do głębokiego wykrotu i stopa ugrzęzła mi między grubymi korzeniami. Próbowałem wyszarpać ją, ale nie mogłem, za każdym poruszeniem bolało jeszcze bardziej.

Poczułem się jak zwierzę złapane w potrzasku. Leżałem nie wiedząc, co robić. Czekałem, aż Niemcy nadejdą i dobiją mnie w tym dole. Cały dzień przeszedł w męczarniach, w głodzie i w strachu. Przyszła noc. Jakoś podważając karabinem jeden z korzeni uwolniłem nogę, ale nawet nie próbowałem wydostać się z wykrotu, bo nie wiedziałem, gdzie jestem, dokąd pójść. Byłem głodny i trzęsłem się z zimna. W końcu nie wiem jak, ale zasnąłem.

Nad ranem obudziła mnie straszliwa kanonada. Zaczęło się piekło! Wyją pociski, pękają granaty. Gdzieś daleko słychać krzyki. Potem coraz bliżej i bliżej.

Słyszę, że to nasi, nasi idą! Myślałem, że oszaleję z radości, zacząłem wydostawać się z dołu.

No, a potem było tak: front poszedł do przodu, na zachód. Mnie wzięli do szpitala polowego, ale zaraz przyjechała podwoda i zawieźli mnie do sztabu dywizji. – Brawo, Sierioża – mówi szef sztabu, pułkownik był, Leonid Maksymowicz. – Ocaliliście honor dywizji. Natarcie musiało się cofnąć, ale wy jeden nie cofnęliście się, zostaliście na miejscu, broniąc w pojedynkę zdobytego przyczółku. Za to dostaliście pochwałę dowództwa frontu. Teraz występują o wasze odznaczenie. – I patrzeć, a z Moskwy przychodzi rozkaz: nadać tytuł Bohatera Związku Radzieckiego.

Siergiej Iwanowicz spojrzał na mnie. W tym spojrzeniu mieszało się wszystko. I duma z powodu tak wysokiego odznaczenia, i radość, że przeżył wojnę. Ale był w tych oczach także pewien chłopięcy, szelmowski błysk, jakiś odblask triumfującej chytrości kogoś, komu z powodu czystego przypadku i przedziwnego zbiegu okoliczności nagle udało się wejść w posiadanie tylu dobrodziejstw naraz. Bo jako Bohater Związku Radzieckiego dostał od razu stopień oficera, darmowe mieszkanie w Moskwie, wstęp do sklepów o najlepszym zaopatrzeniu, bezpłatny bilet na wszystkie pociągi i autobusy, a także co roku darmowy pobyt w wybranym przez siebie sanatorium. Teraz też, Siergiej Iwanowicz jechał do uzdrowiska w Jurmali, koło Rygi, leczyć reumatyzm, jakiego, jest pewien, nabawił się w owym wykrocie nad Prypecią, do którego pięćdziesiąt lat temu wpadł pechowo, ale i zarazem jakże szczęśliwie!

30 sierpnia 2001

Tingatinga. Musiałem go spotkać w Dar es-Salaam na początku lat sześćdziesiątych, kiedy tam mieszkałem. W katalogu wystawy jego malarstwa – którą właśnie zwiedzam w Muzeum Etnograficznym w Warszawie – mówi się, że Tingatinga, urodzony w 1932 roku na południu Tanzanii, był w latach sześćdziesiątych ulicznym handlarzem jarzyn w Dar es-Salaam i że w roku 1972 został zabity przez patrol policji, która goniła jakiegoś złodzieja i strzelając do uciekającego przestępcy zabiła przypadkowo Tingatingę. Łatwo mogę wyobrazić sobie tę sytuację, ponieważ byłem świadkiem kilku podobnych scen. Działy się one w rejonie głównej ulicy Dar es-Salaam, która wówczas nazywała się Independence Avenue, a dziś – Eduardo Mondlane. Było to miejsce tłoczne i hałaśliwe, pełne przechodniów, którzy przeciskali się między rzędami straganów, opędzając się przed tłumem ulicznych handlarzy obładowanych wszelką tandetną galanterią, elektronicznymi gadżetami i spożywczą taniochą.

Zmorą Independence Avenue były tabuny złodziei kieszonkowych – młodych i zwinnych chłopców, którzy pojawiali się jak błyskawica, zrywali i wyrywali, co kto miał z przechodniów – torebki, teczki, portmonetki, zegarki, łańcuszki i bransoletki, a nawet kolczyki i pierścionki, po czym momentalnie znikali, zapadali się pod ziemię. W trakcie takiego natarcia ofiary podnosiły krzyk, lament, wrzeszczały, jakby je odzierano ze skóry. Robiło się zamieszanie, ludzie biegali we wszystkie strony, ulicę ogarniała panika. Jeżeli w pobliżu był patrol policji, zaczynał się pościg za złodziejami. Schwytanego złodzieja policjanci, na miejscu, na ulicy, bili straszliwie drewnianymi pałkami, łomot tłuczonego ciała działał na zgromadzonych gapiów podniecająco, tłum domagał się od katów, żeby walili mocniej, żądał tortur, żądał śmierci, chciał trupa. Ale czasem zwinne złodziejaszki zaczynały się wymykać, wówczas policjanci otwierali ogień, trafiając, jakże często, w zupełnie przypadkowych ludzi. W takiej właśnie sytuacji zabili Tingatingę, kiedy stał za ulicznym wózkiem z jarzynami i owocami, którymi od lat handlował.

Tingatinga był wielkim talentem malarskim – afrykańskim Celnikiem Rousseau, Pirosmaniszwilim, Ociepką. Malował kolorowy, bujny, wibrujący świat Afryki. Na jego obrazach pełno stylizowanych zwierząt – słoni, lwów i krokodyli, pełno ptaków, mnóstwo drzew. Są tu i czarownicy oraz ich niezliczone skarby – skórki wężów, wysuszone jaszczurki, utarte zioła, tajemnicze kamyki.

13 kwietnia 1832 roku, na początku swojej podróży po Ameryce Łacińskiej, Karol Darwin odwiedza w Brazylii majątek niejakiego Manuela Figueiredy. Gospodarz podejmuje go obiadem: „W czasie jedzenia jeden służący był stale zajęty wypędzaniem z pokoju kilku starych ogarów i

tuzina małych, czarnych dzieci, które pospołu, korzystając z każdej sposobności, ciągle właziły... żyje się tu w zupełnym odosobnieniu i uniezależnieniu od reszty świata. Kiedy tylko mieszkańcy takiej samotnej hacjendy dostrzegają jakiegoś przybysza, biją w wielki dzwon i zazwyczaj dają salwę z kilku armatek. W ten sposób obwieszczają to zdarzenie skałom i lasom, bo przecież w okolicy nie ma tu nikogo". (K. Darwin, *Podróż na okręcie „Beagle"*).

Tylko mała grupa ludzi stara się objąć myślą całą planetę. Proces globalizacji dotyczy świata zewnętrznego, takich dziedzin jak komunikacja czy handel, ale nie obejmuje jeszcze naszej wyobraźni. W rzeczywistości ogromna większość z nas myśli o miejscu najbliższym, ograniczonym, myśli – lokalnie. Nasza planeta jest zbyt wielka, przestrzenie – ogromne, drogi – nieskończone i wszędzie pełno ludzi obcych, z którymi trudno się porozumieć i którzy, w gruncie rzeczy, niewiele nas obchodzą.

W jednym ze swoich esejów („Pod sztandarem świata") Gilbert K. Chesterton pisze, że jeżeli chcemy ten świat ocalić, musimy stać się jego patriotami. Właśnie tak – patriotami świata. Jest on przeciwny temu, aby „człowiek krytykował ten świat, jakby szukał domu do wynajęcia, jakby pokazywano mu coraz to nowe mieszkania". I wyjaśnia: „Moje akceptujące spojrzenie na planetę nie ma nic wspólnego z optymizmem, ma raczej coś z patriotyzmu. To kwestia pierwotnej lojalności. Świat nie jest wynajętym w Brighton mieszkaniem, które opuszczamy, gdyż jest nędzne. Jest twierdzą naszej rodziny z flagą powiewającą na wieżyczce, a im nędzniej się w niej żyje, tym bardziej stanowczo winniśmy w niej trwać".

Krajobraz polityczny świata ciągle się zmienia, ciągle i tak gruntownie, jak zmieniają się krajobrazy pustyni po każdej burzy piaskowej. I tak – w końcu roku 2001 – dwaj wrogowie Ameryki: Rosja i Iran stają się nagle jej sojusznikami. Albo – w tym samym czasie – Ameryka Łacińska spada gwałtownie na liście priorytetów USA z pierwszego miejsca na trzydzieste. W tej sytuacji nie sposób powiedzieć czy napisać coś o świecie współczesnym, co byłoby trwałe, solidne i pewne.

Przezwyciężanie, ale jednocześnie i wytyczanie granic. Na całym świecie oba te procesy zachodzą w tym samym czasie, nieraz w tym samym miejscu. Elektronika przekracza granice, sprawia, że wszelkie mury berlińskie, zapory kolczaste czy druty naelektryzowane stają się bezskuteczne, ale zarazem na Bałkanach, w Kaszmirze czy na Cyprze trzeba wznosić granice, aby rozdzielić walczące strony i powstrzymać rozlew krwi.

W epoce globalizacji silne są tendencje wznoszenia, budowania *limes* (dosłownie i w przenośni), zaprowadzania, zakreślania granicy, kordonu sanitarnego – *apartheidu*. A więc tyle samo unifikacji, co fragmentaryzacji, tyle samo łączenia, co dzielenia.

Globalizacja nie jest globalna, bo obejmuje prawie wyłącznie Północ, gdzie znajduje się 81 procent wszystkich inwestycji zagranicznych.

Pogłębia się sprzeczność między rosnącą „masą świata" (tzn. wszystkiego na naszej planecie jest coraz więcej) a zdolnością jej kontrolowania.

Szybkiemu, dynamicznemu rozwojowi świata towarzyszą dwie groźne deformacje:
po pierwsze – rozwój ten generuje nierówności (wewnątrz kraju i w skali planety);
po drugie – wszędzie rośnie siła i zamożność centrum, a słabną i ubożeją peryferie.
Wszyscy i wszędzie uczestniczymy w grze, której zasadą jest, że zwycięzca bierze wszystko (np. szef zarabia tyle, ile reszta załogi łącznie). Słowem – nowy feudalizm: na wierzchołku – pan, władca, suweren, a poniżej – cały podległy mu świat lenny – wasale, służba, kmiotkowie.

W naturze społeczeństw tkwi tendencja do tworzenia i mnożenia nierówności. Stąd życie i historia tych społeczeństw, cały ich postęp to zarazem rozwój coraz to nowych rodzajów i form nierówności.

Są różne globalizmy.
W sferze ekonomicznej – globalizm to wolny dostęp do wszystkich rynków i swobodny przepływ kapitału finansowego.
Natomiast w sferze duchowej – oznacza on wielokulturowość. Ale czy jesteśmy do niej przygotowani? Czy jej chcemy? Nie zawsze i nie wszyscy, bo często dzieli nas niewiedza, uprzedzenia, stereotypy, niechętny stosunek do mniejszości etnicznych i religijnych, podejrzliwość wobec Innego itd.

Globalizacja ma co najmniej trzy formy: ekonomiczno-
-finansową, komunikacyjną i kulturalną. Jako taka, coraz
częściej staje się ideologią albo utopią i mitem.

Globalizacja może także oznaczać wyrwanie kultur lo-
kalnych z zacisza zaścianków i skonfrontowanie ich z wielkim światem – dlatego jest tak zwalczana przez tych, którzy boją się tej konfrontacji.

Globalizacja czyni społeczeństwo masowe jeszcze bardziej masowym, tj. roztapia jednostkę już ostatecznie, nie
zostawiając żadnego miejsca na ja, na osobę, na indywi-
duum. O wszystkich i wszystkim mówi się tylko w liczbie
mnogiej. Liczba mnoga – to dziś w gramatykach języków
współczesnych forma najbardziej zwycięska.

Globalizacja? Jej rozwój wymaga ogromnych kapita-
łów, które posiada tylko Ameryka. Nic dziwnego, że to ona
właśnie stoi u steru tego procesu.

Etyczne problemy globalizacji:
– odpowiedzialność za Innych w społeczeństwie plane-
tarnym;
– bieda jako zło, jako krótsze i gorsze życie, jako poni-
żenie i degradacja;
– endogenna natura niesprawiedliwości. Niesprawiedliwość występuje na wszystkich szczeblach (poziomach,
polach) organizacji społecznej: rodziny, plemienia, regionu, kraju, kontynentu, świata;
– przyjęliśmy mierzyć postęp jedynie rzeczami, dobra-
mi materialnymi, wyłączając całą sferę etyczną i duchową.

Planetaryzacja – tj. tworzenie się jednej społeczności świata, teoria Teilharda de Chardin.

Gwałtowny przyrost ludności na naszej planecie nie jest prostym rozmnożeniem jej mieszkańców, powiększeniem wyłącznie liczbowym. Bo przecież, razem z tym, światu przybywa ogromnie dużo energii ludzkiej – inicjatyw, ambicji, pragnień, wysiłków, projektów, słowem wszelkiego człowieczego bogactwa, które może życie nasze uczynić pełniejszym i lepszym.

Oburzenie, bicie na alarm, panika z powodu eksplozji demograficznej (ludność świata, która w 1935 roku liczyła 2 miliardy, w ciągu 60 lat zwiększyła się trzykrotnie) ma też pewien odcień rasistowski, jako że trzy czwarte nowo narodzonych nie należy do rasy białych.

Globalizacji w dziedzinie ekonomiki i komunikacji towarzyszy często tendencja przeciwna – pogłębiający się apartheid kulturowy.
We współczesnym świecie występują:
– nowe nierówności
– nowe zagrożenia.
Nowe nierówności powołują do życia panujące nam dzisiaj nowe dyktatury:
– dyktaturę czasu,
– dyktaturę mody,
– dyktaturę konsumpcji,
– dyktaturę kwalifikacji.

Muzeum archeologii w Sofii. Rzymskie rzeźby, posągi, kolumny, fragmenty portali, zdobna ceramika. Wszystko stworzone przed wiekami tu, w okolicach dzisiejszej Sofii,

Płowdiwu, Warny. Dzieła wielkiego kunsztu, subtelnego gustu i smaku. A przecież ziemie współczesnej Bułgarii to były w czasach rzymskich najdalsze rubieże Imperium Romanum, marginalne, zagubione peryferie. Mimo to jednak dbano tam o najwyższy poziom sztuki i rzemiosł, o kunszt i jakość dzieł i produktów, o to, aby dorównywały temu, co powstawało w centrum – w Rzymie, w Mediolanie, w Rawennie.

Wizyta w tym muzeum nasuwa myśl o dwóch globalizacjach – tamtej, rzymskiej i tej obecnej, najnowszej. W tamtej starano się o wysoki poziom dzieł i wyrobów wszędzie, gdziekolwiek sięgały wpływy centrum, w tej – eksportuje się masę kiczu, tandety, błyskotek. W tamtej – jakość dróg i mostów, akweduktów, budowli była wszędzie na jednako wysokim poziomie, w obecnej – przepaść między rozwiniętym, zamożnym centrum i zapóźnionymi ubogimi peryferiami jest uderzająca i na domiar – stale się powiększa.

Inna nierówność – to pogłębiające się różnice między tempem rozwoju a jakością życia w centrum świata i na jego peryferiach.

Jeden z problemów świata współczesnego: rośnie liczba ludzi ubogich, a jednocześnie słabną, a nawet zanikają instytucje i mechanizmy choćby w części niwelujące nierówności (zmierzch państwa opiekuńczego, kryzys związków zawodowych itp.). Szczególna szkodliwość przesiąkniętego egoizmem neoliberalizmu polega na tym, że stał się praktyką państw zamożnych w momencie, kiedy w wyniku eksplozji demograficznej pojawiły się na naszej planecie olbrzymie, liczące setki milionów masy ubogich, które bez wsparcia bogatszych nie znajdą sobie godziwego miejsca na ziemi.

Północ–Południe – to dziś układ zasadniczy i trwały, który, spiętrzając nierówności, będzie zwiększał niestabilność świata (na Południu miliard trzysta milionów ludzi utrzymuje się za jednego dolara dziennie, nie ma dostępu do zdrowej wody pitnej, do oświaty i służby zdrowia).

Bieda ma różne postacie:
– ekonomiczną (o której mówi się najczęściej), tj. brak pracy, środków do życia, dachu nad głową itd.;
– społeczną (degradacja statusu społecznego);
– psychologiczną (poczucie odrzucenia, zbędności, beznadziei).

Nowe obiekty handlu globalnego:
– organy ludzkie (serca, nerki, wątroby),
– kobiety (ponad milion w skali planety),
– dzieci (miliony, choć liczba trudna do ustalenia).
Nie zawsze chodzi tu o rzecz zupełnie nową. Natomiast skala, rozmiary i zasięg są zatrważająco nowe.

Pogłębia się podział życia politycznego na scenę (tę zajmują elity) i widownię (miejsce przeznaczone dla społeczeństwa). Wewnątrz widowni obserwuje się podział na aktywnych i zmarginalizowanych. Granice tych wszystkich podziałów są dobrze zaznaczone i sztywne. O ile społeczeństwa są dziś ruchliwe horyzontalnie, o tyle wydają się statyczne wertykalnie. Struktury społeczeństwa feudalnego z jego podziałem na arystokrację i chłopstwo ożyły i pod inną postacią nakładają się na rzeczywistość świata demokratycznego.

Jean Baudrillard w swoich rozmowach *Przed końcem* mówi o odwróceniu ról społecznych: dawniej to poddani, biedacy, niewolnicy chcieli uniezależnić się od swoich panów robiąc w tym celu bunty i rebelie, dziś natomiast to bogaci, panujący, rządzący światem chcieliby uwolnić się od biednych, podległych, zmarginalizowanych.

Socjolog niemiecki Ulrich Beck w swojej książce *Risk Society* (*Społeczeństwo ryzyka*) pisze, że żyć we współczesnej cywilizacji, to żyć na wulkanie – człowiek musi być gotów do szybkich zmian, musi mieć więcej giętkości, więcej zdolności adaptacyjnych, nauczyć się samodzielnie podejmować decyzje rozstrzygające o jego życiu, rozwinąć w sobie nieustającą gotowość podejmowania ryzyka. Dziś nie możemy już liczyć na państwo, sami jesteśmy odpowiedzialni za wszystko. To nowy podział społeczny: na zdolnych i niezdolnych podejmować ryzyko.

Dawniej wygrywali silniejsi, dziś, najczęściej, szybsi.

Już wiemy, jak może zginąć ludzkość – z głodu. I nawet nie dlatego, że zabraknie żywności, lecz z powodu lęku i zakazów. Choroba wściekłych krów może służyć za symptom, za przejaw istniejącego w nas strachu przed powszechną zarazą, której ofiarą możemy stać się w każdej chwili. Już nie sposób uprawiać seksu, bo to grozi AIDS, nie można jeść wołowiny – bo zarazimy się chorobą wściekłych krów, wieprzowiny – bo dopadnie nas pryszczyca. Wkrótce już nie będzie można jeść ryb, drobiu, owoców, nie będzie można bezpiecznie pić wody (co już zresztą staje się coraz powszechniejsze), brać do ust słoniny czy genetycznie wyhodowanych zbóż.
Dyskusję o globalizmie przerwie globalna katastrofa,

która być może nastąpi za chwilę. W tej wersji–wizji świat nie zginie z powodu wielkiej wojny, ataku terrorystów, inwazji kosmitów itd., ale unicestwią go niewidoczne mikroby i wirusy, niedostrzegalne zarazki i zabójcze trucizny zawieszone w powietrzu lub roznoszone przez wiatr.

wrzesień 2000

Mam spotkanie z czytelnikami w Poznaniu. Mówię o współczesnym świecie. Po spotkaniu podchodzi dwoje ludzi. To było ciekawe, stwierdzają, ale naszym zdaniem zbyt pesymistyczne.

Woleliby, żeby było bardziej optymistycznie.

Próbuję się usprawiedliwić, tłumaczę, że to, co mówiłem, było, w porównaniu z rzeczywistością naszej planety, arcyoptymistyczne, że szukałem barw jasnych, tonów ciepłych.

Odeszli nieprzekonani.

Z taką reakcją spotykam się często. Stoję przed wyborem: mówić prawdę czy upiększać? Bo świat jest w trudnej sytuacji. Ale jeżeli próbuję tę myśl rozwijać – napotykam opór sali. Ludzie nie chcą prawdy, szukają pocieszenia, potrzebują otuchy. Mają poza tym umysły odurzone mediami – godzinami oglądają serialowe sielanki, słuchają romansideł nadawanych przez radio, żyją w blasku wielkich gwiazd wykreowanym przez kolorowe tygodniki. A tu, raptem, przychodzi ktoś i mówi, że są również nieszczęścia, dramaty, tragedie. Dlaczego to mówi? Po co?

Jest jeszcze inny powód, dla którego chętnie dzielimy z Kandydem optymizm, utwierdzający nas w przekonaniu, że przecież „żyjemy na najlepszym ze światów". A mianowicie – wszelkie zderzenie z twardymi realiami świata stwarza od razu problem etyczny – domaga się zajęcia czynnej postawy, zabrania głosu. Przed taką koniecznością próbujemy ratować się pytaniem – czy to coś pomoże? Czy możemy tu coś zmienić? Czy mamy jakiś wpływ? Ale takie poczucie bezradności jakież jest poniżające! Więc jednak lepiej nie dopuszczać do sytuacji, w której musielibyśmy własne sumienie wystawiać na tak ryzykowną próbę.

Reportaż Caroline Moorehead pt. „Lost in Cairo" („NY Review of Books",13.6.02): dramat uchodźców afrykańskich z Sudanu, Somalii, Etiopii, Liberii, Sierra Leone, Gwinei, Rwandy itd., którym udało się dostać do Kairu. Tu szukają azylu w Biurze UN High Commisioner for Refugees. Nie mają pracy, nie mają pieniędzy, nie mają gdzie mieszkać. Nie mogą się porozumieć, bo nie znają arabskiego, nie mają opieki lekarskiej, dzieci nie mają szkoły. Tymczasem Biuro ONZ ma coraz mniej pieniędzy, a Twierdza Zachód coraz szczelniej zamyka przed nimi wrota. Jako czarni są w północnej Afryce poniżani i prześladowani: „być czarnym w Kairze, to żyć wśród ciągłych upokorzeń i ataków rasistowskich". Ich przygnębiająca nędza. Wegetują w slumsach bez światła i wody – brudni, chorzy, głodni, półnadzy, bez cienia nadziei na zmianę, na ratunek.

Uderza widoczne w całym świecie współczesnym spiętrzenie nierówności. Bo istnieją one nie tylko między Północą a Południem, ale również wewnątrz tych obszarów, a zwłaszcza wewnątrz krajów i społeczeństw Południa. Jakież tam przepastne różnice, ile napięć i konfliktów, które dawniej zacierał i przysłaniał wspólny los kolonialny.

Postępująca sekularyzacja życia zagraża dziś wielkim religiom (zwłaszcza chrześcijaństwu). A przecież, mimo że pustoszeją kościoły i zmniejszają się zastępy duchownych, nie wydaje się, aby malało kwantum religijnego zapału, tyle że zmieniły się pola jego manifestacji i wyładowań, a także obiekty i formy kultu. Chodzi mianowicie o zjawisko, które przyjęło się określać mianem świeckiej religii. Może to być ideologia, która powoła rzesze zapalonych wyznawców. Może być sport i oddane mu tłumy rozgorączkowanych kibiców itd. *Novum* tego zjawiska polega na tym, że jest to religia bez Boga, głoszona i upowszechniana przez świat nowoczesnych mediów.

Jeżeli chcesz rozpętać burzę, skłócić ludzi, ba, nawet całe narody podzielić na wrogie obozy i doprowadzić je do wojny – podnieś najzupełniej błahą sprawę do rangi narodowego lub religijnego symbolu i wmów innym, a przede wszystkim swoim pobratymcom, że od jego losów, od jego triumfu, lub przeciwnie – klęski, zależy ich przyszłość, więcej – ich życie samo.

Człowiek bowiem jest istotą ochoczo poddającą się złudzeniom, iluzjom, pozorom, fantomom. Rzadko zdobywa się on na myślenie racjonalne, natomiast z zapałem rzuca się w odmęty uwznioślonej bzdury i uświęconego absurdu. Jakże np. w końcu XIX wieku podzieliła mieszkańców Düsseldorfu sprawa budowy pomnika syna tego miasta – Heinricha Heinego! Jego wielbiciele uważali go za wielkiego poetę i zamierzali postawić mu pomnik, natomiast przeciwnicy zwalczali tę inicjatywę twierdząc, że Heine lżył wartości narodowe, że był jak ptak, który własne gniazdo kala. Można by pomyśleć – a cóż to takiego postawić na jakimś placyku tak dużego przecież miasta lepszy czy gorszy pomniczek.

Ale gdzie tam!

Natychmiast rozgorzała długoletnia wojna, do której włączyły się najwyższe autorytety Niemiec, książęta krwi, ministrowie, parlamentarzyści. Zagrzmiała prasa, ruszyła fala petycji za i przeciw.

Ileż historia dostarcza nam podobnych przykładów. Ileż walk z powodu nazw ulic, napisów na cmentarzach, godeł i baretek. Wystarczy wymyślić pretekst, a już będziemy skakać sobie do oczu, brać się za bary, rozłupywać czaszki.

Tak, jak świat przełomu XIX i XX wieku był zdominowany przez konflikty klasowe, walki społeczne i rewolucje toczące się wewnątrz poszczególnych krajów (próby eksportowania rewolucji z kraju do kraju kończyły się niepowodzeniem), tak przełom XX i XXI wieku jest zdominowany przez konflikty nacjonalistyczne, etniczne i etnoreligijne. Oczywiście nadal istnieją nierówności – w krajach i w skali planetarnej, ale nie prowadzą one do wybuchów, do frontalnych zderzeń na wielką skalę, tak jak dzieje się to dziś w wypadku antagonizmów etnicznych czy konfliktów nacjonalistycznych. Słowem, problemem najbardziej drażliwym i zapalnym stała się nie majętność, a tożsamość.

Reżyser amerykański – James Ivory w rozmowie z Barbarą Hollender („Rzeczpospolita", 9.6.2001):
„Europejczycy są zapatrzeni we własną tradycję. Amerykanów uważają za nowobogackich, traktują z lekką pogardą. Tymczasem Amerykanie, dzięki swoim pieniądzom, poznają świat. Właśnie świat, nie tylko Europę. I wiedzą to, czego nie wiedzą Europejczycy: że zadufany w sobie stary kontynent nie jest już pępkiem świata. Że istnieją wspaniałe, stare kultury w Ameryce Południowej, w Azji".

Wrażenie z podróży do różnych krajów Afryki, Azji i Ameryki Łacińskiej teraz, u początków XXI wieku: obecność i wpływ Europy na naszej planecie kurczą się coraz bardziej, a proces ten w ostatnich latach uległ wyraźnemu przyspieszeniu. Coraz mniej jest Europy w Afryce, coraz mniej w Azji i na obszarach Oceanii. Mniej nawet w Ameryce Łacińskiej. Dawniej wszędzie tam spotykałem Europejczyków, było ich pełno. Wyjeżdżali na inne kontynenty jako kupcy, misjonarze, administratorzy, technicy i lekarze, wielu z nich osiedlało się na stałe. Mieli swoje fabryki i farmy, szkoły i dzielnice miast. Dzisiaj nic z tego nie zostało. Nikogo z tych ludzi już nie ma. Wyjechali, rozproszyli się lub wymarli, a nowych nie widać. Jeśli przyjeżdżają Europejczycy, to na krótki pobyt, np. dyplomaci albo misjonarze (tych ostatnich jest już coraz mniej). W krajach Trzeciego Świata zniknęły wielkie skupiska Europejczyków: wyjechali Francuzi z Algierii, Portugalczycy z Angoli i Mozambiku, Anglicy z Indii, Holendrzy z Indonezji, Włosi z Etiopii. Wraz z wyjazdem Europejczyków znikają też ślady ich dawniejszej obecności – ich architektura, kościoły, księgarnie, sklepy.

Przeżywamy wielkie kulturowe narodziny Trzeciego Świata, którego społeczeństwa zaczynają manifestować dumę ze swojej rodzimej tradycji i kultury. Jednocześnie, jak pisze amerykański eseista Fareed Zakaria, Europa, po wiekach ekspansji, izoluje się dziś od świata, zamyka w swoich murach i coraz bardziej zajmuje się tylko sobą: „Dawniej jej przywódcy poruszali się swobodnie na scenie świata. Teraz na ich miejsce przyszli ludzie o wąskich horyzontach". („Newsweek", 18 czerwca 2001).

Trzeci Świat „daje lekcję" niektórym Europejczykom, jak żyć i postępować. Przykład: wśród wojsk ONZ pełniących misję pokojową w Bośni jest oddział z Ghany. Czarnoskórzy żołnierze starają się rozdzielić zwaśnionych Serbów i Chorwatów. Mówią, że te animozje przypominają im dawne konflikty międzyplemienne w ich własnym kraju.

Ameryka i Europa – dwie różne i coraz wyraźniej odmienne szkoły myślenia, sposoby widzenia świata. Ameryka – to optymizm, pragmatyzm, dynamiczność, pewna siebie rzeczowość („jeżeli jest problem, to trzeba go rozwiązać"). Myśl europejska – przeciwnie – jest wątpiąca, sceptyczna, to myśl, która ceni sobie ironiczny dystans.

Kultura Europy jest w porównaniu z duchem kultury amerykańskiej nostalgiczna, nawet – katastroficzna, jest uporczywym spoglądaniem w lusterko wsteczne, mimo że przecież prowadząc wóz, powinniśmy patrzeć przed siebie!

Jedna ze sprzeczności europejskich: z jednej strony powszechnie mówi się i pisze, że zmierzamy do Europy regionów, z drugiej jednak – ilekroć jakiś region próbuje zdobyć większą niezależność, jakąś formę autonomii, od razu natrafia na opór państwa, powstaje konflikt, a nieraz dochodzi do wojen. Miejsca najbardziej zapalne to Hiszpania i Włochy, Belgia i Austria. Ambicje odśrodkowe stały się przyczyną wojen bałkańskich. Napięcia i tarcia na mniejszą skalę, o słabszym natężeniu, występują jednak w wielu innych krajach.

11 września 2001
AMERICA UNDER ATTACK – to był napis pod obrazami CNN, który przesuwał się przez ekran telewizora.

Dowiedziałem się o wszystkim w warszawskiej „Panoramie". Była czwarta po południu. Przez kilka następnych godzin nie odszedłem od telewizora. Powtarzające się obrazy samolotu, kiedy uderza w drapacz World Trade Center. Tłum uciekający w panice. Policjant, który próbuje zaprowadzić na skrzyżowaniu jakiś porządek. Cały w kurzu, zagubiony, bezradny.

Admirał Sir Michael Boyce, Szef Sztabu Armii Brytyjskiej mówi: „Nasza wojna z terroryzmem będzie trwać 50 lat, tyle co zimna wojna z komunizmem" („The Daily Telegraph", 27.10.01).

Zapanowały czasy ostrej, natrętnej ideologizacji; wszędzie pytają: jesteś – za czy – przeciw?

Oto jest świat współczesny – nigdzie ciszy zupełnej. Żeby dotrzeć do takiej ciszy, trzeba urządzać specjalne wyprawy, prowadzić żmudne poszukiwania. Może cisza jest tam, gdzie gwiazdy? Ale podobno tam też – nie. Gwiazdami wstrząsają burze kosmiczne, grzmoty i wyładowania. Astronomowie mówią, że cała Droga Mleczna to wieczny łoskot, ogłuszające wycie rozpędzonych meteorytów, skowyt przeciągających komet. Słowem, niebo to jest dopiero piekło!

Najczęściej mówi się o korzyściach demokracji, rzadziej o jej powinnościach. Tymczasem demokracja, aby funkcjonować, nakłada na wszystkich ogromne obowiązki, zwłaszcza obowiązek uczestnictwa. Ale obyczaj takiego uczestnictwa występuje rzadko tam, gdzie brak odpowiedniej tradycji, dlatego wiele na świecie demokracji ułomnych, słabych, tylko formalnych. Niemniej w końcu XX wieku demokracja jawi się w świadomości ludzkiej jako system najbardziej pożądany, który wcześniej czy później osiągną wszystkie społeczeństwa i kraje.

Osłabienie demokracji (Toffler – demokracja przestała bronić zwykłych ludzi) powoduje, że ludzie coraz mniej interesują się informacją – nie jest im ona do niczego potrzebna.

Powiększa się rozbrat między środowiskami ludzi myśli i refleksji a instytucjami władzy, panowania politycznego. Z jednej strony – ludzie najwyższej kultury, autorzy ważnych dzieł, przenikliwych teorii i opinii, z drugiej – praktycy polityki, członkowie rządów, liderzy partii, właściciele mediów. I między tymi obozami – żadnej łączności, kontaktu, przenikania. Gorzej – te dwa kręgi traktują się podejrzliwie, nieufnie, nawet z pogardą.

Ludzie wysokiej kultury bezsilni, pozbawieni głosu, żyjący coraz bardziej w osobnym, zamkniętym świecie campusów, instytutów naukowych, prywatnych pracowni, a na drugim krańcu – klan polityków, pełen demagogów i oportunistów, klan coraz to wstrząsany aferami korupcyjnymi. Ale świat rozwija się w tym kierunku, że klan zdobywa przewagę nad campusem, że rola klanu rośnie, a campusu maleje.

Demokratyczna zasada równości obywatelskich i praw równych dla wszystkich, sprowadzona do karykatury, może stwarzać klimat przychylny korupcji. Bowiem dawniej – posiadać coś było przywilejem królewskim, arystokratycznym, prawem, które przysługiwało tylko możnym, dziś natomiast, nawet ktoś z najniższego stanu może mieć wszystko, byle miał okazję coś zawłaszczyć, gdzieś się obłowić i napchać.

Zorganizowana przestępczość, używając korupcji, szantażu i oszustw, w różnych krajach coraz wyraźniej przenika i opanowuje centra władzy (w tym również państwowej). W końcu zdobędzie ona pełnię władzy w państwie. Rządzić będą nami gangi, mafie, spekulanci, szantażyści. „Newsweek" (9 kwietnia 2001) podaje, że aż jedna trzecia parlamentarzystów Tajwanu ma powiązania ze zorganizowaną przestępczością!

18 stycznia 2001

BBC podaje, że w Dżakarcie manifestanci domagają się ustąpienia prezydenta Wahida – z powodu korupcji. Podobnie w Manili – z tej samej przyczyny Filipińczycy żądają ustąpienia prezydenta Estrady. Dodajmy, że obaj doszli do władzy po tym, jak ludność obaliła, właśnie z powodu korupcji, Marcosa na Filipinach i Suharto w Indonezji. A więc na miejsce jednego *corrupto* przychodzi drugi – i bez jakiejkolwiek żenady i skrupułów zaczyna od razu kraść. Ta postępująca kryminalizacja świata politycznego ma też niszczący wpływ na *morale* całego społeczeństwa – ośmiela przestępców, legalizuje mafijność, zachęca łapówkarzy, wszelkie męty, szumowiny, brudną pianę.

Każdy zbrojny konflikt poprzedza starcie słowne, złowieszcze preludium, nasilająca się, agresywna kakofonia inwektyw, oszczerstw i oskarżeń, jako przygotowanie do śmiertelnego zwarcia. Dlatego już po języku, jakim posługują się strony, można poznać, czy panuje między nimi pokój, czy, przeciwnie, zanosi się na wojnę. Dobrą ilustracją może być wydana w Belgradzie w 1995 roku przez Helsiński Komitet Praw Człowieka książka pt. *Hate speech*. Jej autorzy analizując zmiany w słownictwie, w języku propagandy serbskiej pokazują, jak zawczasu przygotowywała ona społeczeństwo do wojny, do agresji.

Moja serbska tłumaczka – Biserka Rajčić – mówi mi, że rozpad Jugosławii zaczął się od zmian programów szkolnych w zakresie literatury. W każdej republice zaczęto uczyć historii literatury tylko lokalnej, miejscowej narodowości. Na przykład wielkiego pisarza i noblistę Ivo Andricia wyrzucono ze wszystkich, nieserbskich podręczników literatury.

Nowe wojny w Trzecim Świecie. To wojny przeciw własnemu narodowi, zwłaszcza przeciw kobietom i dzieciom. Wojny te prowadzą armie rządowe, milicje plemienne, partyzanci, terroryści, watahy warlordów. Lokalni najeźdźcy, grasujący wewnątrz własnego kraju, grabią ludność, rabują bogactwa naturalne, handlują narkotykami i bronią. Na szeroką skalę prowadzą zaciekłe, okrutne czystki etniczne.

Wojny współczesne:
– zbędność, bezużyteczność wielkich armii,
– prywatyzacja przemocy, podmiotów walczących.

Zabijają z taką łatwością, z jaką oddychają.

Styczeń 2002. Kanał telewizji „Planete". Film dokumentalny o doktorze Basson z Południowej Afryki – kierowniku laboratorium – pracującym nad broniami bakteriologicznymi, m.in.:
– nad bakterią wywołującą bolesne wrzody i opuchliznę,
– nad toksynami, które powodują zawał serca.

Na filmie doktor Basson, młody milczący mężczyzna, często wychodzi z pracowni na brzeg morza odetchnąć rześkim, zdrowym powietrzem. Uśmiecha się do nas z ekranu. Trudno zgadnąć, czy to znak jego życzliwości, czy też wyraz radości, że właśnie przyszedł mu do głowy pomysł nowego związku chemicznego, który sprawi, że będziemy umierać w mękach szczególnie okrutnych i bolesnych.

Po rozmowie z młodym, inteligentnym, bardzo oczytanym studentem historii: patrząc na niego myślałem o sobie, kiedy byłem w jego wieku. Miałem przeczytanych zaledwie kilka – i to marnych, książek, nigdzie nie byłem jeszcze za granicą (on już objechał pół świata). Myślałem również o moich rówieśnikach: byliśmy ofiarami straszliwych ograniczeń, jakie narzuciła nam wojna i lata powojenne, które w dużym stopniu i na wielu polach były właściwie przedłużeniem wojny. Przy takich okazjach zawsze myślę, że strat wojennych nie można określać tylko liczbą zabitych i rannych czy ilością zniszczonych domów i mostów. Ofiarami bowiem są całe pokolenia, którym wojna zabrała prawo do nauki, do rozwoju, do wiedzy i sztuki, do poznania świata.

A.B. pyta:
— Czy człowiek to tylko kwas nukleinowy i białko? Co jest w nim poza chemią i fizyką? Jak to zdefiniować?

A.B.:
— Samotność? Samotność najbardziej odczuwam w tłumie. W dodatku jest to samotność połączona z lękiem. Że ten tłum ruszy, zacznie dusić, miażdżyć. Kiedy stoję w tłumie, patrzę na otaczających mnie ludzi jako na istoty irracjonalne, zdolne do każdego szaleństwa. Kiedy tak stoimy razem i widzę, jak nagle robią się niespokojni, jak na ich twarzach pojawia się pot, a usta otwierają się do krzyku, czuję się osaczony i ogarnia mnie strach.

A.B.:
— Nie zmienisz swojego życia, jeśli ono idzie w złą stronę, dopóki nie uderzysz w dno i poczujesz, że dalej już nie ma nic. Dopiero ten głuchy, złowieszczy odgłos, owa przejmująca świadomość dna może cię zmusić do zmiany radykalnej. Rzadko może być ona całkowita, zupełna, stupro-

centowa. Ale może być jednak istotna, ważna. Nie licz na triumf jednorazowy, ostateczny: cierpliwie gromadź małe zwycięstwa.

Nie móc wyjść poza siebie – jakie to straszne! Człowiek staje się swoją własną ofiarą, swoim oprawcą, a w skrajnym wypadku – katem samego siebie.

Współczesny codzienny ubiór demokratyzuje: porwani i porywacze są ubrani jednakowo, podobnie – prezydenci i ich ochrona, dyrektorzy i podwładni, wykładowcy i studenci.

A.B.:
– Spotkałem znajomego, który mi mówi, że dzisiaj to przywilej być innym. A ja mu odpowiadam – tak, ale innym tylko wśród takich samych.

Postmodernistyczne formy życia społecznego:
– życie codzienne stało się wartością samą dla siebie;
– jest ono anonimowe i prywatne, w niszy, wśród swoich tylko;
– w stosunku do innych staramy się stać trochę z boku;
– chcemy, żeby życie płynęło nam bez wstrząsów, bez wielkich zmian, przygód, zawrotów głowy, szaleństw.

Żyjemy coraz mniej w społeczeństwie i coraz bardziej w gospodarce.

Człowiek żyjąc w systemie totalitarnym – nasiąka nim. I ta substancja trująco-deformująca, produkt owego przenikania, żyje potem znacznie dłużej niż sam system. Żywiąc się naszą krwią, może istnieć tak długo, jak my sami.

Myśl najchętniej ślizga się po powierzchni spraw i problemów, chce wszystko zaokrąglić i wygładzić. Rzadko tylko – i to u nielicznych, próbuje przebijać się w głąb, drążyć mroczne i nieodgadnione labirynty, przenikać gęste i ciemne materie.

Zbyt rzadko podkreśla się, że pamięć jest fenomenem głęboko zindywidualizowanym. Choćby kilku ludzi było razem, w jednym miejscu i czasie, po latach każdy będzie pamiętać inaczej i co innego. Stąd też mit przekazywany ustnie przez pokolenia jest w trakcie tego procesu ciągle zmieniany, przetwarzany, przekształcany. Podobnie relacja każdego świadka, jest tylko jednym z możliwych opisów zdarzenia, które w rzeczywistości może mieć nieskończoną ilość wariantów.

Jan Patočka – cechy charakterystyczne człowieka uduchowionego:
– ma zdolność, zawsze świeżą, dziwienia się;
– umie problematyzować;
– za tym, co jest życiem bezpośrednio unaocznionym, widzi życie drugie, mające wymiar duchowy.

Rozproszenie, uprywatnienie lęków w świecie współczesnym. W miejsce wielkich, zbiorowych, masowych, wspólnie i jednocześnie przeżywanych lęków, jakie w społeczeństwach rodzi groza wielkiej wojny czy gwałtownej epidemii, występują dziś nagminnie lęki rozproszone, uwewnętrznione, prywatne – lęk przed napadem na ciemnej ulicy, w bramie, w pociągu, lęk przed utratą pracy, przed porwaniem, przed nowotworem, przed depresją itd.

„Wszyscy ludzie śnią – pisze T. E. Lawrence – ale niejednakowo. Ci, którzy śnią w nocy, w najmroczniejszych zakamarkach umysłu, budzą się rano z przekonaniem, że były to tylko majaki. Są jednak tacy, którzy śnią za dnia, i ci są ludźmi niebezpiecznymi, gdyż nierzadko z otwartymi oczami odtwarzają swoje senne marzenia, pragnąc przemienić je w rzeczywistość".

W czasie lektury tych zdań (pochodzą z *Siedmiu filarów mądrości*) przyszła mi na myśl notatka Isaiaha Berlina z 1981 roku. „Niewiele jest rzeczy, które wyrządziły światu tyle szkód, co przekonanie różnych jednostek czy grup (plemion, państw, narodów lub kościołów), że tylko oni lub one są wyłącznymi posiadaczami prawdy – zwłaszcza jeżeli chodzi o to, jak żyć, czym być lub co robić – i że ci, którzy się różnią, nie tylko błądzą, ale są dzikusami lub szaleńcami i trzeba ich skować lub unicestwić. Jest straszliwą i niebezpieczną arogancją wierzyć, że tylko ty masz rację, że posiadasz magiczne oko, którym widzisz prawdę, i że inni, jeśli są odmiennego zdania, nie mają racji".

Pochwała różnicy: oni są tak inni! Lata temu, w epoce zimnej wojny, rzecznik Temple University w Filadelfii – Arnold Leath – powiedział mi, że z Moskwy zaprosił na spotkanie dwóch wykładowców tamtejszej centralnej szkoły partyjnej. – Toż to są straszni dogmatycy! – zdumiałem się. Ale okazało się, że to właśnie był powód zaproszenia: – Oni są tacy inni! – entuzjazmował się Arnold. Traktował różnicę jako atut, jako plus. Uważał, że różnica wzbogaca, pogłębia i ożywia. Dlatego poszukiwał różnicy, była mu potrzebna, aby rozszerzyć swoją wiedzę i uwyraźnić własne stanowisko.

Z wielu ludźmi trudno dyskutować, ponieważ ich myślenie jest szalenie eklektyczne, mieści w sobie zdania i opinie najbardziej różnorodne, sprzeczne, dziwacznie poplątane. Mogą powiedzieć jedną uwagę, a za chwilę wygłosić zupełnie przeciwną, mogą coś potwierdzić i jednocześnie temu zaprzeczyć itd., a wszystko to robić szczerze, z głębokim przekonaniem i pewnością.

Nasza indywidualna tożsamość nie kształtuje się w samotniczej izolacji, ale w interakcji z innymi, tj. kształtuje się dialogicznie i dlatego od charakteru tych relacji, od ich treści i klimatu zależy, kim każdy z nas będzie.

Warszawa, szpital przy Działdowskiej. Godzina 7.45. Ruch, bieganie, krzątanina. Kto tu wejdzie, nawet jeśli ledwie wyrwany ze snu, jeśli jeszcze zaspany – zaraz będzie rozbudzony, natychmiast oprzytomnieje. To jedni na drugich tak trzeźwiąco działają, wzajemnie wprawiając się w ruch, w działanie. W takich momentach najlepiej widać, jak człowiek jest istotą stadną i jak impulsy wysyłane przez innych wpływają na jego sposób bycia i nadają mu rytm.

Zimno, mróz, śniegi, wichury – niszczą wspólnotę. Człowiek urodził się w słońcu, uformował w słońcu, nie umie żyć w zimnie. Wyjdźmy wieczorem na ulicę w ciepłym mieście, w Neapolu czy Casablance – tłumy spacerujących, pogodny, wesoły nastrój ludzi otoczonych przyjazną naturą. A w mieście takim jak Trodheim czy Murmańsk? Ciemne, puste ulice, miasto jak wymarłe.

Trudne warunki klimatyczne, susze, pożary, epidemie zmuszały dawne plemiona do stałej ruchliwości, przemieszczania się, migracji. Dlatego, w sensie materialnym, nie miały one wiele trwałych przedmiotów, rzeczy, narzędzi. Wszystko było prowizorką, wszystko robione doraźnie, *ad hoc*. Była to kultura nieustannego odtwarzania rzeczy materialnych. Trwałość miały tylko więzi międzyludzkie, rodzinne, plemienne, stąd starano się zawsze umacniać je i rozwijać.

Kiedy my, tu, w czasie dnia chodzimy, pracujemy, załatwiamy sprawy i robimy tysiąc innych rzeczy, o tej samej porze druga półkula śpi. Ileż tam snów, a w umysłach śpiących – ile zjaw, dziwów i koszmarów błąkających się w ludzkich głowach, jakież miliony światów zrodzonych na krótko i istniejących tylko przez kilka godzin, żeby potem o świcie zniknąć, często od razu zapomnianych na zawsze. Ale następnej nocy – to samo, i tak od lat, od tysiącleci. Jakiż więc maleńki ułamek tego co noc stwarzanego kosmosu snów utrwalił się w micie, w baśni, w literaturze! Jedna tysięczna procenta? Jedna milionowa?

5 września 2001
Dzwoniła Hania Krall. Mówiła o ludziach zastygłych w czasie minionym, którzy fizycznie ciągle żyją, ale mentalnie nie przyjmują już świata, ten świat, który dziś istnieje i jest tak różny od i c h świata, nawet ich nie interesuje. To mentalność kombatanta, dla którego wszystko zakończyło się w momencie, kiedy ucichły odgłosy ostatniej bitwy, w jakiej brał udział kilkadziesiąt lat temu.

Wartość społeczeństwa mierzy się nie wyczynami poszczególnych jednostek, ale jego zdolnością do działania jako całości.

Tadeusz Zieliński w swoim eseju pt. „Włościaństwo w literaturze polskiej" cytuje Oswalda Spenglera, który rozróżniał dwa typy ludzi – duszę bytującą (Dasein) właściwą chłopom i duszę rozbudzoną (Wachsein), właściwą ludziom miejskim.

Dennys Mirceaux, spotkany w Meksyku pisarz z Karaibów, mówi mi, że kolorowy w społeczeństwie białych musi wytężać wszystkie siły, aby ciągle udowadniać, że jest dobry, że zasługuje na akceptację i uznanie. „Biały – objaśniał Dennys, który jest Mulatem – może iść spokojnie spać, a ja muszę orać dzień i noc, aby bez przerwy dawać dowody, że jestem wart, by mnie poklepać z uznaniem po ramieniu. To z jednej strony upokarzające, ale z drugiej – jest bodźcem do pracy, daje dobre wyniki".

A.B. opowiada mi o jednym z epizodów swojego życia:
– I oto znalazłem się we władzy diabła. Byłem opętany, zaślepiony. Ale być zaślepionym to coś innego niż być ślepym, niewidomym. Niewidomy jest ostrożny, uważny, wrażliwy. Natomiast człowiek zaślepiony jest ogarnięty szałem, jest brutalnie bezwzględny, furiacko agresywny.

„Człowiek jest skończony, pisze Emil Cioran w *Złym demiurgu*, jest żywym trupem nie wówczas, gdy przestaje kochać, lecz – nienawidzić. Nienawiść konserwuje". Dodajmy – podobnie jest ze społeczeństwem. Dlatego wszelka władza stara się zawsze wynajdywać i utrzymywać przy życiu postać wroga, aby podwładni mieli kogo nienawidzić i w lęku przed wrogiem chronili się pod skrzydła władzy.

Siegfried Lenz (w rozmowie z B. L. Surowską):
– „Pojęcie »Heimat« jest węższe niż »Vaterland«, inte-

resuje mnie właśnie to zawężenie horyzontu, ta prowincjonalna ciasnota, która rodzi butę i fatalne pretensje. Prowincjusze często czują się wybrańcami losu, mają poczucie nieograniczonych możliwości..."
– „uważam, że wystarczy, gdy pisarz zajmuje się jednym tematem – wychodząc od własnych przeżyć..."
– zadaniem pisarza jest „obrona ambiwalencji, respektu przed bólem, smutkiem..."
Lenz zwraca uwagę, że zwężenie horyzontu jest groźne, osłabia w człowieku władzę sądzenia, czyni go podatnym na niebezpieczne demagogie, populizmy.

W „Gazecie Wyborczej" (14.07.2001) Anna Wolff-Powęska w eseju pt. „Europa brunatnieje" porusza problem ofiary w historii i zwraca uwagę, że „ofiara nie musi bezwarunkowo być lepszym człowiekiem od innych". To bardzo ważne stwierdzenie! Przecież w naszym myśleniu działał automatyzm – ofiara (a ofiarami rozbiorów, okupacji, wojen byliśmy zawsze my – Polacy) to ktoś dobry, szlachetny, prawy, ktoś nieskazitelny z samego tylko tytułu, że jest ofiarą. Być ofiarą rozgrzeszało z wszystkiego, wszystko można było tym usprawiedliwić. Tymczasem ktoś będąc ofiarą mógł jednocześnie być podłym, nikczemnym, zdradzieckim, okrutnym. Sytuacja ofiary mogła rodzić postawy nienaganne i godne, ale także wyzwalać najgorsze, zbrodnicze instynkty i zachowania.

Hans Magnus Enzensberger, w wywiadzie dla „La Stampa" (10 lipca 2001):
– „w demokracji istnieje pluralizm i wolność słowa, dlatego wielu ludziom wydaje się, że mają coś do powiedzenia";
– dziś „nauki biologiczne zajęły miejsce utopii ideologicznych", ale „niebezpieczeństwem jest swojego rodzaju

megalomania: nie będzie już chorób, będziemy mogli stać się nieśmiertelni..."

– dziś „nie ma powszechnych reguł. Znaleźliśmy się na nowym terytorium i zobaczymy, jak się wszystko potoczy";

– przyszłość książki? „Jestem przekonany, że w dziedzinie książki będziemy mieli rynek zróżnicowany, jak w gastronomii, gdzie obok McDonald'sów istnieją świetne restauracje przeznaczone dla tych, którzy lubią dobrze zjeść".

Śmiech, naturalny, serdeczny śmiech jest oznaką dobrej wspólnoty. Wśród ludzi opętanych nienawiścią nikt się nie śmieje. Czyjś śmiech byłby tam traktowany jako kpina, szyderstwo, prowokacja.

Ludzie wierzą w to, co jest wygodne. W to, czego potrzebują. Bardzo wierzą w obietnice, są wdzięczni tym, którzy obiecują.

Marc Bloch, jeden z największych historyków Francji XX wieku, miał 53 lata, kiedy wybuchła II wojna światowa. Wstępuje do armii, a po klęsce Francji ukrywa się, bierze udział w ruchu oporu i – pisze. Ginie po ciężkich torturach rozstrzelany przez Gestapo w marcu 1944, na kilka tygodni przed wyzwoleniem.

Powstała przed śmiercią książka Blocha pt. *Pochwała historii* w niczym nie sugeruje, że pisał ją człowiek, który budząc się rano nie wiedział, czy dożyje wieczora. Jest ona bowiem spokojną, rzeczową refleksją uczonego nad tym, czym jest historia i jakie trudności napotykają ci, którzy chcą ją poznać i zrozumieć. (Bloch nazwał pisanie *Pochwały historii* „zwykłą odtrutką, przy pomocy której, wśród najgorszych cierpień i trwóg, osobistych i ogólnych, pragnął zdobyć trochę równowagi ducha".)

To, na co autor kładzie największy nacisk, to niepewność i chwiejność ludzkiego świadectwa – niepokojący problem dla historyka, skoro masę świadectw, jakimi posługuje się on odtwarzając przeszłość i próbując ustalić prawdę, stanowią właśnie świadectwa uczestników lub naocznych obserwatorów zdarzeń.

Po pierwsze – „w olbrzymim fresku skomponowanym z

wydarzeń, gestów i słów, składających się na los pewnej grupy ludzkiej, jednostka dostrzega jedynie maleńki skrawek, ograniczony zasięgiem naszych zmysłów i uwagi".

Po drugie – pamięć jest zawodna i szybko może zacząć mylić: „Każdy, kto brał choćby najskromniejszy udział w jakiejś akcji, wie dobrze, że często już po upływie paru godzin niepodobna dokładnie opisać nawet bardzo ważnego epizodu". Stąd – „znajomość przeszłości jest zmienną, ulegającą ciągłemu przekształcaniu i doskonaleniu".

Po trzecie wreszcie i to może jest najważniejsze: – „Dwa rodzaje przyczyn osłabiają głównie prawdziwość obrazów utrwalonych w mózgu nawet najbardziej uzdolnionego człowieka. Jedne wiążą się ze stanem obserwatora w danej chwili, takim jak znużenie lub emocje. Inne – z natężeniem uwagi: z małymi wyjątkami, widzimy i słyszymy dobrze jedynie to, na czym nam zależy".

Historia jest pełna zagadek i tajemnic – stwierdza Bloch. Wiele w niej białych plam, często w miejscach najważniejszych: „25 lutego 1848 roku pierwszy strzał przed pałacem Ministerstwa Spraw Zagranicznych rozpętał zamieszki, które z kolei przerodzić się miały w rewolucję. Czy strzał ten padł ze strony wojska, czy też z tłumu? Nigdy tego nie dowiemy się na pewno". A przecież strzał ten dał początek jednemu z największych wydarzeń w dziejach Europy i świata – był sygnałem, że zaczęła się Wiosna Ludów!

Zaś przyjaciel Blocha – profesor Lucien Febvre, dodawał: „Nie mamy nigdy niewzruszonych przekonań, gdy chodzi o fakty historyczne... Historyk nie jest tym, który wie, jest tym, który szuka".

Coraz bardziej zwiększające się tempo, w jakim toczy się historia zdarzeniowa, a więc ta, która stanowi codzienny pokarm mediów, pogłębia przepaść między nią a rozwijającą się znacznie wolniej historią długiego trwania, głęboką, strukturalną. Ta pierwsza, widoczna gołym okiem, niemal namacalna, przyciąga naszą uwagę w stopniu nieporównywalnie większym niż nurt drugi, ukryty, znacznie trudniej dostępny naszej obserwacji. A jednak bez jego znajomości i zrozumienia nie sposób pojąć tych wydarzeń, które składają się na historię widoczną i „dotykalną".

Leon Wieseltier w swojej książce *Kaddish* pisze o tym, jak bardzo historia naturalna różni się od historii człowieczej: „Czytałem dyskusję geologów o zjawiskach masowej zagłady w przyrodzie. Dowiedziałem się, że historia życia na ziemi, tak jak można ją odczytać ze skał, notuje wiele globalnych katastrof. Jednakże, jak stwierdza jeden z dyskutantów, badania tempa, z jakim dokonywały się procesy zagłady, dowodzą, że zajmowały one długie okresy od jednego do dziesięciu milionów lat, albo i dłużej. Powolne tempo tych procesów jest przeciwieństwem gwałtowności, jaka cechuje antyludzkie katastrofy organizowane przez człowieka. To dopiero ludzie wymyślili fenomen masowej zagłady dokonywanej błyskawicznie, na naszych oczach, sprawiając, że mogła być ona przeżywana przez współczesnych jako i c h katastrofa".

Na świecie jest jeszcze tysiące rzeczy do odkrycia, bo ciągle w ziemi zakopane są całe miasta i wsie, budowle, rzeźby i narzędzia. Jeden z archeologów powiedział mi w Kairze, że ze Starożytnego Wschodu odkopano zaledwie kilka procent zabytków, na więcej nie ma pieniędzy, poza tym nie ma gdzie tych cenności składać. Co odkopią, po opisaniu i sfotografowaniu zasypują z powrotem, bo, poza wszystkim, okazało się, że piasek najlepiej konserwuje, a także chroni przed złodziejami, którzy skarby wydobyte na powierzchnię rozkradają, nim jeszcze specjaliści zdołają je skatalogować.

Każde nowe odkrycie archeologiczne cofa dzieje ludzkości w coraz dawniejszą przeszłość. Oznacza to, że ciągle powinniśmy od nowa pisać historię świata, bo nawet epoki najnowsze umieszczone w tej, coraz dłuższej perspektywie czasowej, zyskują odmienne, niż przyjmowaliśmy dotąd, proporcje i znaczenie.

Przewidywać – to mylić się. To reguła, od której wyjątki zdarzają się rzadko. Kto ośmieli się zapuścić w krainę przyszłości – będzie ukarany. Najlepszym przykładem – los Adama i Ewy. Z prognozowaniem zawsze były trudności. Jeszcze w 1903 roku Ludwik Krzywicki w *Kwestii rolnej* zdumiewał się „jak dalece człowiek cywilizowany utracił zdolność przewidywania tego, co w odmęcie życia ekonomicznego jutro ze sobą przyniesie". I dawał przykład, jak to zalew konkurencyjnego zboża amerykańskiego zaskoczył ziemian Europy, których wszyscy specjaliści zapewniali, że zboże zza oceanu nigdy nie trafi na rynki europejskie, gdyż jest go w Ameryce tak mało, iż nawet nie zaspokoi potrzeb rosnących mas imigracyjnych napływających stale do Stanów. Krzywicki przypomina na marginesie, że jedynym, który widział w Ameryce realnego konkurenta dla Europy, był Engels.

Trafne słowa brytyjskiego eseisty – Simona Jenkinsa, byłego naczelnego „The Times" (21.01.2002): „Cokolwiek byśmy sądzili na temat dnia dzisiejszego, musimy być przygotowani na zmianę tych poglądów już jutro".

Upływ czasu, a dyskurs historyczny:
– czas skraca perspektywę,
– spłaszcza i upraszcza,
– redukuje i odbarwia.

Historia na ogół notuje tylko te zdarzenia, w których człowiek, społeczeństwo, naród wznoszą się ponad przeciętność i codzienność, słowem utrwala tylko niezwykłość i wzniosłość, natchnienie i emocję, a często zwyczajnie zaślepienie i szaleństwo. Nie zwraca natomiast uwagi na spracowane ręce, spocone ciała, żyły na skroniach, zgięte plecy tragarza. Nie ceni trudu i mija obojętnie tych wszystkich, których jedyną troską jest przeżyć kolejny dzień.

Wracając do *Cesarza*. W społeczeństwie feudalnym istniał drobiazgowy podział pracy. Zasada ta dotyczyła zwłaszcza pałaców, dworów i całej służby, a więc tych, których racją istnienia było wszelkiego rodzaju lokajstwo. Rilke wspomina w *Malte* lokaja, którego jedyną powinnością było odsuwanie i przysuwanie fotela pana domu, właściciela zamku. M.L. Kaschnitz w książce pt. *Courbet* pisze o służącej w domu hrabiego de Choiseul w Troville, we Francji, która zajmowała się tylko jednym: rozpylała w pokojach perfumy. Spełnianie tych obowiązków, lekkich i błahych, nie wymagało żadnych umiejętności ni kwalifikacji – a jedyną cechą, zaskarbiającą względy państwa, była absolutna, potulna lojalność, pokorne i ślepe oddanie. Słowem, była to sytuacja, w której podmiot jest szczęśliwy mogąc zejść do roli przedmiotu i istnieć tylko jako odbicie, jako majak, fantom, cień.

W „Tygodniku Powszechnym" (17.03.2002) Jacek Kubiak pisze o kryzysie Kościoła katolickiego we Francji: puste kościoły, coraz mniej wiernych, coraz mniej powołań.

Socjolog Jean-François Barbier-Bouvet wymienia trzy przyczyny kryzysu religii:

– ludzie obawiają się wszelkich religii, gdyż w ich łonie pojawiają się tendencje do przejęcia rządu dusz, a to już ma posmak totalitaryzmu;

– podejrzewają, że Kościół chce manipulować ich świadomością;

– ponadto demokratyzacja życia sprawiła, że ludzie odrzucają wszelką ingerencję wielkich instytucji w ich życie prywatne.

Cadyk – w judaizmie, szejk – w islamie to potrzeba żywego wzoru, przykładu, kogoś, kto będzie źródłem i łącznikiem między tobą a twoją wspólnotą, wiarą, kulturą. Mój znajomy z Kairu – Ahmed, który, jak mi mówi, latami szukał swojego szejka po całym świecie, albo młodzi chasydzi z Pińska, pielgrzymujący setki kilometrów do swojego cadyka w Kozienicach.

W tego typu związkach ważne jest nie tylko wiedzieć, że ma się duchowego przewodnika, nie tylko usłyszeć go i zobaczyć, ale także – d o t k n ą ć, ponieważ wierzy się, że jest to dotknięcie mistyczne, że w tym dotyku zawarte jest przesłanie, siła magiczna, namaszczenie.

W islamie jest pewna tendencja ekskluzywistyczna, przekonanie, że tylko wyznawca Allaha jest jedynym posiadaczem prawdy, że wszystko inne jest fałszem i to fałszem niebezpiecznym i groźnym.

Pogląd ten ma swoje historyczne uzasadnienie, a mianowicie, kiedy Mahomet zaczyna głosić swoje proroctwa, tradycyjny świat wierzeń Arabów jest już pełen bóstw, idoli i duchów. Aby zwyciężyć, Mahomet musi cały ten zatłoczony i mocno osadzony w umysłach wiernych panteon pokonać, rozbić w puch i unicestwić, aby oczyścić pole dla islamu. Dlatego w *Koranie* i w hadisach jest tyle wezwań do walki z fałszywymi bóstwami i z tymi, którzy oddają im bałwochwalczą cześć, a więc z wszystkimi niewiernymi.

Islam jest – historycznie – religią wędrownych handlarzy, drobnych kupców, ludzi drogi i okazjonalnych targów. Jest to więc religia w ruchu, postępująca z arabskiej północy Afryki w głąb kontynentu, na południe.

Dzisiaj, w dobie rewolucji elektronicznej, kiedy co kilka lat wprowadza się nowe technologie i systemy komunikacji – różnice pokoleniowe to również różnice cywilizacyjne.

Słyszę utyskiwania na młodych, że nic nie wiedzą, np. że nic nie wiedzą o Himmlerze czy Berii. W rzeczywistości jednak wiedza wielu spośród tych młodych jest rozległa i całkiem pokaźna, tyle że jej zakres jest inny. Każde pokolenie, w wyniku innych doświadczeń, ma odmienny, różny zakres wiedzy, inne zainteresowania i fascynacje. Zwraca to uwagę zwłaszcza tam, gdzie wstrząsy, konflikty i kataklizmy dziejowe doprowadziły do zerwania ciągłości międzypokoleniowej, do radykalnej zmiany myślenia, a nawet języka.

Ktoś o młodym pokoleniu:
– że jest nastawione na sukces, jest indywidualistyczne i bezimienne, a także – że się nie buntuje.

Sprawa Dariusza Ratajczaka, młodego historyka z Opola, który zaprzeczył istnieniu obozów zagłady i komór gazowych. Prasa pisze, że jego zajęcia, na których wygłaszał swoje horrendalne teorie, cieszyły się wśród studentów dużą popularnością. Wśród ludzi starszego pokolenia to wzięcie wywołuje zdumienie i oburzenie. Tymczasem taki właśnie jest człowiek wychowywany w kulturze poszukującej „ciekawostek", traktującej sensację jako wartość samą w sobie, pozbawioną sensu aksjologicznego. Człowiek taki żyje potrzebą hecy, ważna jest dla niego nie prawda, tylko widowisko, nie wiedza, lecz zgrywa, dreszcz, bomba. Klimat tej kultury przypomina atmosferę stadionu w czasie meczu piłki nożnej. Tłumy kibiców interesuje tylko jedno – kto komu strzeli gola. Jest! – cieszy się połowa stadionu. Druga połowa czeka rewanżu. Nareszcie – jest! – ryczą ci, którzy doczekali się wyrównania.

Słowem – życie jako widowisko, ubaw, zgrywa, dreszcz, jako uwolnienie (od myślenia, sądzenia i powagi).

W 1997 roku zostałem doktorem honoris causa Uniwersytetu Śląskiego. Z tej okazji, 17 października, wygłosiłem w Katowicach wykład. Zacząłem od epizodu, który Antoine de Saint-Exupéry opowiedział kiedyś w swojej książce *Ziemia, planeta ludzi*:

Były lata dwudzieste XX wieku, początek epoki samolotów, kiedy to śmiałkowie dokonywali pierwszych lotów międzykontynentalnych.

Młody pilot francuski nazwiskiem Saint-Exupéry dostaje polecenie odbycia lotu z Tuluzy do Dakaru. Dla ówczesnych aeroplanów szczególnie niebezpieczny był przelot nad górami Hiszpanii. Późniejszy autor *Małego księcia* domyśla się niebezpieczeństw i odczuwa lęk. Studiuje mapę wyznaczonej trasy, ale ona nic mu nie mówi. Idzie więc radzić się starszego, doświadczonego kolegi – Henri Guillaumeta. Teraz obaj zasiadają do mapy. „Jakąż dziwną lekcję geografii dał mi wówczas Guillaumet!" – wspomina później Saint-Éxupéry. „Nie uczył mnie Hiszpanii, ale zaprzyjaźnił mnie z Hiszpanią". „Nie mówił o Kadyksie, ale o trzech drzewach pomarańczowych rosnących pod Kadyksem:»Strzeż się tych drzew, zaznacz je na swojej mapie...«". „Nie mówił o mieście Lorka, ale o małej farmie pod miastem, zamieszkanej przez dwoje gospodarzy, zawsze gotowych przyjść z pomocą. Nie mówił o wielkiej rzece Ebro, ale o małym, nieobecnym na mapie strumyku przecinającym pole pod Motril: »Strzeż się tego strumyka, zaznacz go sobie na mapie« (na wypadek, gdyby przyszło tam lądować)". „Wydobywaliśmy z niepojętej oddali – pisze Saint-Exupéry – szczegóły nieznane żadnemu z geografów świata".

Kiedy lata temu czytałem tę historię, pomyślałem, że płyną z niej co najmniej dwie lekcje. Pierwsza, że najlepsza droga do poznania świata prowadzi przez zaprzyjaźnienie się ze światem. Druga, że istnieje związek między naszym osobistym losem a obecnością tysięcy ludzi i rzeczy, o których istnieniu nic nie wiedzieliśmy, czy nie wiemy, a które w najbardziej zaskakujący sposób mogą wpłynąć lub wpływają na naszą egzystencję, na bieg naszego życia, że więc choćby we własnym interesie powinniśmy się starać poznać nie tylko to, co jest t u, ale i to, co jest t a m, daleko, gdzieś na naszym globie.

Najlepsza droga do poznania wiedzie przez przyjaźń. To lekcja Saint-Exupéry'ego, którego całe pisarstwo przenika głęboki, żarliwy humanizm. Ale zaprzyjaźnić się ze światem nie jest łatwo i nawet nie jest w pełni możliwe. Świat ma naturę złożoną, sprzeczną, paradoksalną, wiele w nim dobra, ale i wiele zła, a nie każdy i nie zawsze potrafi zdobyć się na heroizm, jakiego wymaga od nas wezwanie, aby zło dobrem zwyciężać.

Swoje podróże po świecie rozpocząłem blisko pół wieku temu. Spędziłem w nich, wędrując przez wszystkie kontynenty – ponad dwadzieścia lat. Prawie cały ten czas upłynął mi w tzw. Trzecim Świecie, w krajach Azji, Afryki i Ameryki Łacińskiej. Dlaczego sprawy i losy tego właśnie świata stały się moim głównym tematem? Dwa były co najmniej tego powody – jeden emocjonalny, drugi merytoryczny.

Pochodzę z Polesia, które było najbiedniejszą częścią Polski – i być może – Europy. Wcześnie utraciłem „kraj lat dziecinnych", do którego nie wolno mi było wrócić przez czterdzieści lat. Myślę, że tęsknota za tą prostą i – dziś powiedzielibyśmy – słabo rozwiniętą krainą kształtowała mój stosunek do świata: chętnie przebywałem w krajach ubogich, bo było w nich coś z Polesia. Jako reporter nie miałem wahań, czy wybrać Szwajcarię, czy Kongo, Paryż czy Mogadiszu. Wybierałem Kongo i Mogadiszu – tam było moje miejsce, bo tam był mój temat.

A oto drugi powód. Kiedy kończyłem wydział historii UW, stanął przede mną wybór: kontynuować swoje zainteresowania spędzając czas w archiwach czy raczej próbować śledzić historię w jej procesie stawania się, obserwować historię w chwilach, kiedy ją tworzymy i kiedy ona nas tworzy. Pociągnęło mnie to drugie, a to dlatego, że wówczas, w połowie naszego stulecia, moment był niezwykły i wyjątkowy: rodził się Trzeci Świat.

Dzisiaj, kiedy mówimy o mijającym wieku XX-tym, określamy go jako straszną epokę dwóch wielkich wojen światowych, dwóch niszczycielskich totalitaryzmów, Oświęcimia i Workuty, Hiroszimy i Czernobyla. Ale w wieku XX-tym miało także miejsce wydarzenie bez precedensu w dziejach: narodził się Trzeci Świat. Całe kontynenty, dziesiątki krajów, miliardy ludzi zdobyły niepodległość i utworzyły swoje państwa. Wydarzenia tej skali nie było i nigdy już nie będzie w dziejach ludzkości. Otóż wypadło mi być świadkiem i kronikarzem tego zdarzenia.

Owemu ruchowi do niepodległości i wolności ludów kolonialnie zależnych towarzyszył inny jeszcze ruch – a mianowicie gigantyczne migracje ludności wiejskiej do miast. Na początku naszego stulecia byliśmy planetą zamieszkaną przez chłopów – stanowili oni 95 procent ludności, teraz, kiedy kończy się wiek, w miastach mieszka już ponad połowa ludzi żyjących dziś na świecie. Ten fakt zmienił nie tylko sposób życia setek milionów ludzi. Zmienił on również ich kulturę i zmienia ich mentalność. Ludzie, jeszcze wczoraj bytujący w zaciszu zamkniętych wspólnot wiejskich, stali się nagle mieszkańcami otwartej, luźnej i kuszącej kultury masowej – tak charakterystycznej dla społeczeństwa globalnego, jakie tworzymy dziś my wszyscy, żyjący na tej planecie.

Co jest dziś dla sytuacji panującej na naszej planecie najbardziej charakterystyczne?

Po pierwsze – że żyjemy w pokoju. Ilekroć mówię o tym, podnoszą się jednak głosy protestu: jak to! A Rwanda? A Bośnia? A Belfast? I ten protest jest słuszny. Każda śmierć jest tragedią, każda wojna nieszczęściem i klęską. Ale mówimy tu o skali globu, a w takim wypadku ważne są proporcje. Na świecie jest około trzydziestu zbrojnych konfliktów, ale liczba ludzi bezpośrednio tymi konfliktami dotkniętych stanowi mniej niż 1 procent mieszkańców planety. To tragiczne, że 1 procent cierpi z powodu wojny, ale to jednak pomyślne, że 99 procent żyje w pokoju. Nie ma już potencjalnie grożącej nam zagładą zimnej wojny. Od lat nie było żadnej wojny między państwami. Bieżące konflikty mają charakter wojen domowych, wewnętrznych. Co więcej, o ile dawniej wszelki konflikt lokalny niósł w sobie groźbę wojny światowej, to dziś odwrotnie – tam, gdzie taki konflikt wybuchnie – społeczność międzynarodowa stara się go izolować i zgasić.

Skąd jednak bierze się owo przekonanie, że żyjemy w świecie aktualnie zdominowanym przez rzezie, masakry, rakiety i gruzy? Powinniśmy zdać sobie sprawę z sytuacji, w jakiej znalazł się człowiek w ostatnich dwóch–trzech dziesięcioleciach. Dawniej czerpał on wiedzę o świecie z własnego doświadczenia, z opowiadań najbliższych, bądź z druków. Ale do tej tradycyjnej, niemal namacalnie sprawdzalnej rzeczywistości przybyła mu teraz, w dobie przekazu elektronicznego, rzeczywistość druga, równoległa, kreowana przez media. Nastąpiło podwojenie historii: jedna to ta, która gdzieś tam się dzieje, druga – która jest tuż obok, którą mam przed oczyma. W dodatku ta kreowana rzeczywistość staje się – na skutek łatwiejszej dostępności – jedyną, jaką znamy, wyłączną. Rzeczywistość kreowana jest jednak zdradzieckim owocem selekcji, manipulacji, mylącego skrótu. Wydarzenie, które trwało kilka godzin, musimy pokazać w kilka sekund. I wszyscy stajemy się ofiarami decyzji, według jakiego kryterium wybór będzie dokonany.

Ta wspomniana wcześniej tendencja do pokoju jest ważna nie tylko dlatego, że pozwala ograniczyć ilość ofiar, zniszczeń i innych nieszczęść, ale też i dlatego, że pełny rozwój człowieka, jego wolność i dobrobyt, jego twórcza, pomyślna egzystencja są możliwe tylko w warunkach pokoju.

Drugą dominującą dziś tendencją jest dążenie świata do demokracji. Demokracja stała się hasłem dnia, ambicją, panującym wzorcem. Dzisiaj nawet partie tak kołtuńskie i szowinistyczne jak ta – Żyrinowskiego, przybierają nazwę liberalno-demokratycznych. Kiedy podróżowałem po świecie 20–30 lat temu powszechnie panowały dyktatury. Dyktatury wojskowe, policyjne, jednopartyjne rządziły w Ameryce Łacińskiej, w Afryce, w Azji, w znacznej części Europy. Dzisiaj ten typ dyktatur jest już rzadkością, wyjątkiem, rażącym anachronizmem. Nikt już więcej nie dąży do ustanowienia takiej dyktatury. Ich czas minął, widzimy to i czujemy. Tam natomiast, gdzie demokracja stała się faktem, panującą formą ustrojową, tam rychło ujawniła się ważna okoliczność, a mianowicie – związek demokracji z kulturą. Demokracja jest tym bardziej krucha, niewydolna i pozorna – im społeczeństwo jest na niższym poziomie kultury. Warunkiem silnej demokracji jest wysoki poziom kultury społeczeństwa. Dlatego też mówić, że jest się orędownikiem demokracji, a jednocześnie obcinać wydatki na oświatę, naukę i kulturę, to ogłosić niedorzeczność określaną w logice terminem *contradictio in adiecto* – sprzecznością samą w sobie. Co więcej, rola nauki i kultury będzie coraz bardziej rosnąć, ponieważ – w miarę rozwoju – zwiększa się zależność człowieka i jakości jego cywilizacji od techniki, a tym samym od stanu nauki i zasobów umysłowych społeczeństwa. To jest teraz kryterium różniące społeczeństwa rozwinięte od zacofanych: nie ilość wytopionej stali, ale liczba studentów i wyższych uczelni.

Trzecią wreszcie tendencją współczesności jest nieustający postęp, ogromnienie świata, działające prawo zwielokrotniania wszystkiego. Bo jest coraz więcej ludzi. Ale i coraz więcej rzeczy – telewizorów, aut, samolotów i telefonów, zegarków, kompaktów, lekarstw i butów – wszystkiego. Mnożą się odkrycia i wynalazki. Coraz głębiej penetrujemy kosmos, coraz dokładniej poznajemy strukturę kwarków. „Nie widzę końca tego procesu rozwoju i zróżnicowania – pisał niedawno wielki fizyk amerykański – Freeman Dyson, w swojej książce pod znamiennym tytułem *Nieskończoność we wszystkich kierunkach* – i nawet bezużytecznym byłoby starać się wyobrazić sobie, jak nieskończenie różnorodne będą doświadczenia fizyczne, umysłowe i religijne, jakie czekają ludzkość". Albowiem, tłumaczy on, światem rządzi „zasada maksymalizacji zróżnicowania", obejmująca zarówno jego strefę fizyczną, jak i umysłową. Niestety, konkluduje Dyson, „zasada maksymalizacji zróżnicowania prowadzi często do maksymalizacji stresu". Tak, bądźmy czujni i wsłuchujmy się w głosy ostrzegawcze. T.S. Eliot pisał już dawno:

> Nieskończone koło myśli i czynu,
> Nieskończona odkrywczość i eksperyment bez końca
> Przynoszą wiedzę ruchu, lecz nie spokój...
> Gdzie jest mądrość utracona w wiedzy?
> Gdzie wiedza utracona wśród informacji?

Ta krytyczna refleksja jest tym bardziej stosowna, że obraz świata ma liczne skazy, pęknięcia i cienie. Podróżującemu po naszym globie rzuci się w oczy przede wszystkim głęboka niesprawiedliwość świata. Jedni żyją dobrze, ci drudzy – zawsze źle. A nie dotyczy to tylko jednostek, lecz całych społeczności, narodów, kontynentów. I nie widać z tego wyjścia, nie widać ratunku. Kiedy zacząłem pracować w krajach Trzeciego Świata, dominowały wówczas na jego temat teorie krzepiące, optymistyczne. Teorie Dumonta, Rostova, Galtunga. Mówiły one, że usunięcie nierówności świata jest tylko problemem czasu, że wkrótce (myślano tu o końcu XX wieku) te nierówności znikną i ludzie wszędzie będą żyć tak jak w Holandii czy Szwecji. Ale szybko nastąpiło rozczarowanie. Nierówność między rozwiniętą Północą a nierozwiniętym Południem nie została zniesiona, odwrotnie – ciągle się pogłębia. Ta nierówność jest widoczna na dwóch poziomach. W skali globu pogłębia się przepaść między zamożnym światem zachodnim a pozostałą, znacznie większą częścią świata, zamieszkaną przez 2/3 ludzkości. Jednocześnie rośnie przepaść wewnątrz krajów i regionów. Jedni są coraz bogatsi, inni coraz biedniejsi – i taka jest tendencja planetarna. Przepaść ta przybrała już rozmiary monstrualne: 368 najbogatszych osób świata posiada majątek równy dochodom blisko połowy ludności naszej planety!

Bogaci i biedni żyją w różnych światach. Ludzie bogaci myślą, że rozwiążą problemy biednego dając mu miskę ryżu. Świat zamożny widzi w ubogim Świecie Trzecim wyłącznie problem biologiczny: jak wyżywić tych ludzi? Nie – jak nauczyć ich myśleć, wykształcić i zatrudnić, tylko – jak nakarmić. Ale miska ryżu nie zmieni losu ubogich. Bieda to nie tylko pusty żołądek. Bieda to sytuacja i kultura. Człowiek biedny jest człowiekiem poniżonym, zdegradowanym. Nie widzi wyjścia, nie widzi przyszłości. Kiedyś Orwell badał na sobie samym skutki głodowania. Mieszkał w przytułkach dla biednych, całymi dniami nic nie jadł. Pisał potem, jak wskutek głodu tracił zdolność myślenia, nie umiał niczego zaplanować, zdobyć się na żadną inicjatywę. Jego osłabiony umysł nie był w stanie sięgnąć poza horyzont pustej miski, jego najdalsza myśl kończyła się pytaniem, co będzie jadł za godzinę. W Afryce byłem wielekroć w obozach uchodźców, wędrowałem z tłumami głodujących. Taki tłum jest bezbronny, bierny. O nic nie prosi. Na nic się nie skarży. Idzie w milczeniu, apatyczny, obojętny. Widziałem plemiona umierających z głodu, choć na rynkach było pełno żywności. Ale człowiek chronicznie głodny nigdy nie będzie walczył.

Czy nie można by rozwiązać problemu głodu i biedy, niedostatku i masowego ubóstwa – tej największej hańby i zmory świata nękającej ponad połowę sióstr i braci naszej rodziny człowieczej? Teoretycznie, oczywiście – tak.

Po pierwsze, świat wytwarza dziś dostateczną ilość żywności, aby zaspokoić potrzeby nas wszystkich – sześciu miliardów ludzi. Rzecz jednak w uderzająco nierównym rozdziale tych zasobów. Kiedy jestem w Nowym Jorku, od rana dzwoni telefon, przyjaciele pytają, gdzie i co chciałbym jeść – lista możliwości jest nieograniczona. W kilka dni później, w wiosce ugandyjskiej od rana błąkamy się głodni i słabi, wiedząc, że nie ma nic do zjedzenia.

Po drugie, wiele można by poprawić, gdyby zwiększyć wydatki na technologie odsalania wód, na rozwój bardziej wydajnych odmian ryżu i kukurydzy, skuteczniejszych leków przeciw malarii itp. Ale skąd wziąć na to pieniądze? Wielki kapitał szuka krociowych i szybkich zysków, a w tej dziedzinie korzyści nie będą ani duże, ani natychmiastowe.

Ale marnością świata jest nie tylko chroniczny niedostatek, który trapi większość jego mieszkańców. Marność świata jest i w tym, że wielu ludziom jest po prostu źle. Jest dużo chorób, jest dużo cierpienia i bólu. Wielu ludziom doskwiera samotność. Wielu ludzi gnębią depresje. Paraliżuje ich lęk. Ludzie coraz częściej czują się zagrożeni, boją się, że ktoś na nich czyha. Że stanie się coś złego. Szukają ratunku, miotają się. Człowiek jest często przeszkodą dla samego siebie. Swoją największą trudnością. Chciałby poczuć się lepiej, ale nie wie, jak to zrobić. Obwinia więc innych, przeklina świat.

Ale świat będzie przecież takim, jakim go sami stworzymy. Znamienne, jak w czasie spotkań z czytelnikami ludzie często wypytują o przyszłość, są ciekawi, niepokoją się. Ta ciekawość jest zrozumiała. Bo w tych pytaniach kryje się nie tylko intencja praktyczna. Czas przyszły ma właściwości magiczne. I człowiek zawsze starał się tej magii dotknąć, przeniknąć ją i posiąść.

Dwie wielkie wizje przyszłości powstały w ostatnich latach. Są bardzo różne, nawet sobie przeciwstawne, bo wyrażają ambicje i dążenia dwóch odmiennych kręgów kulturowych. Twórcą pierwszej z nich jest profesor Uniwersytetu Harwardzkiego – Samuel P. Huntington. Latem 1993 ogłosił on w „Foreign Affairs" esej pt. „The Clash of Civilizations" („Zderzenie cywilizacji"). Autor krytykuje w nim ignorancję i pychę Amerykanów przekonanych, że cały świat zmierza drogą amerykanizacji, że zgodnie przejmie amerykańskie wzorce, instytucje i wartości. Takie przekonanie uważa on za błędne, aroganckie. Przeciwnie. Współczesne cywilizacje nie-zachodnie cechuje ogromna żywotność. „Mają one, pisze Huntington, większą dynamikę demograficzną, są społeczeństwami bardziej spójnymi i o wyższych rygorach etycznych niż dekadencki Zachód". Mylą się ci, którzy uważają, że modernizacja w dziedzinie techniki i eksplozja gadżetów kultury masowej pociągną za sobą automatycznie westernizację zasad i przekonań. Terroryści chodzą w dżinsach, piją, coca-colę i w imię swoich mrocznych ideałów mordują niewinnych ludzi najbardziej nowoczesną bronią. Cywilizacja Zachodu, mówi Huntington, jest jedyna i niepowtarzalna. Jego koncepcja wyraża przede wszystkim niepokoje amerykańskie: dla Ameryki dwa największe zagrożenia to Chiny – najpotężniejsze demograficznie państwo świata, i Islam – posiadający ropę naftową, bez której Ameryka nie może istnieć. W obu wypadkach społeczeństwa tych obszarów okazują się bardzo oporne na wpływy kultury amerykańskiej. Huntington uważa, że wyjściem dla Zachodu jest odgrodzić się, okopać, stworzyć granicę obronną na kształt *limes* z czasów imperium rzymskiego. Inaczej bowiem dojdzie do wojen między cywilizacjami, którego zwiastunami, jego zdaniem, są konflikty w Bośni czy Afganistanie. Krytycy od razu zarzucili Huntingtonowi „mentalność bunkra", tak typową dziś dla Zachodu, który coraz bardziej próbuje odgrodzić się od reszty świata.

Całkowicie odmienną wizję przyszłości kreśli współczesny wybitny intelektualista malezyjski – Anwar Ibrahim, autor wydanej w 1997 roku książki pt. *Azjatycki Renesans* (*The Asian Renaissance*). Azja, twierdzi on, staje się punktem ciężkości świata XXI wieku. Złączyły się tu prastare tradycje państwa, żywotne i głębokie wartości etyczne, kultura wytrwałej pracy, szacunek dla autorytetów, silne więzi rodzinne i wzajemne zaufanie – warunek wszelkiego rozwoju i postępu. Nowa Azja jest już postnacjonalistyczna – szuka wzajemnych więzi i wspólnych interesów. Ibrahim rozwija optymistyczną koncepcję przyszłego świata: cywilizacje nie będą prowadzić ze sobą wojen. Miejsce konfliktu zajmie wymiana, miejsce starcia – dialog. (Taką właśnie koncepcję kontaktu cywilizacyjnego – kontaktu jako wymiany, głosili wcześniej i Simmel, i Mauss).

Dzisiaj, kiedy mowa jest o widzeniu współczesności świata i wizjach jego przyszłości, ważne jest wiedzieć, kogo się czyta i słucha. Jeżeli natrafimy na głos pesymizmu, rozgoryczenia, zawodu, z pewnością będzie to głos kogoś z Europy. Od tragicznego doświadczenia Europy już po prostu nie sposób się uwolnić. Jeżeli natomiast usłyszymy prognozy pomyślne, zobaczymy obrazy dynamiczne, śmiałe i ufne – jeżeli ton i barwa będą jasne i optymistyczne, to autorem dzieła będzie ktoś z Azji albo z Ameryki Łacińskiej.

Bardzo trudno zdać sobie sprawę, że nie jesteśmy sami na świecie. I że obecność innych, zamieszkujących rozległe kontynenty będzie miała wpływ na nas i nasze losy. W myśleniu ignorującym ten fakt brakuje czegoś istotnego: perspektywy planetarnej. „Nasza przemiana polega na tym, że po raz pierwszy od stuleci przestaliśmy wpatrywać się w Europę, w Zachód. Zaczynamy patrzeć i odkrywać siebie" – to pisze cytowany już Anwar Ibrahim.

Latem tego roku prasę światową obiegło zdjęcie Papieża na Światowym Forum Młodzieży w Paryżu. Wiemy, jak bardzo Jan Paweł II dba o symbolikę swojej posługi. Papież idzie do ołtarza w towarzystwie wybranych przez siebie ośmiorga młodych ludzi: czterech dziewcząt i czterech chłopców. W tej grupie jest tylko jeden biały. Wszyscy oni wchodzą w jakiś rodzący się, młody świat, świat wielu ras i kultur, świat rozmnożony.

Co by można o nim najważniejszego powiedzieć? Być może to, że w swoich zasadniczych zrębach, zasadniczych strukturach, w układzie sił i kierunkach rozwojowych, dziś, na przełomie wieków jest on bardzo ustabilizowany. Być może w najbliższych latach nic nadzwyczajnego nie wydarzy się. Nie zanosi się na żadną wielką wojnę, żadną rewolucję, żaden globalny kataklizm. Duże agencje prasowe skarżą, się na brak prawdziwie sensacyjnych wiadomości. Nie wolno nam jednak zapominać, że to wszystko jest kruche, ponieważ życie jest kruche, a jego słaba struktura obciążona wszelkim złem – złem nacjonalizmu i szowinizmu, nienawiści i agresji, obojętności i chamstwa, złem podłości i głupoty.

Trudność mówienia o naszej planecie bierze się choćby i z tego, że świat z każdego miejsca wygląda inaczej, a ilość tych punktów obserwacji jest ogromna. Musimy więc szukać wspólnych mianowników naszych losów. Jednym z nich – i to rzuca się w oczy w czasie podróży przez planetę, jest widoczny wszędzie niespotykany dawniej wzrost wszelkich inicjatyw, pobudzenie i ożywienie, krzątanina, podwyższenie energii ludzkiej świata. Jest wszędzie więcej działań, myśli, woli, ambicji i starań. Planów i marzeń. Przyczyniła się do tego likwidacja krępujących ruchy imperiów, koniec terroru ideologii totalitarnych, długoletni pokój, dążenie do demokracji, gwałtowny rozwój środków komunikacji międzyludzkiej. Ludzkość zaczyna się organizować według nowych, trudnych jeszcze do zdefiniowania struktur i ideałów. Ale jeżeli przyjrzeć się temu uważnie, jedno staje się widoczne: wszędzie jest więcej społeczeństwa i mniej państwa. I wszędzie, jak powiedział Dyson, nieskończoność postępuje we wszystkich kierunkach.

Rozwinął się na świecie nowy rodzaj turystyki uprawianej w pojedynkę, parami, czasem grupowo. Jest to podróżowanie dla podróżowania, w którym chodzi tylko o to, aby być w drodze, być gdzie indziej – bez żadnego zamiaru czy celu. Ci nowi turyści nie chcą nikogo poznać, niczego szczególnego dowiedzieć się, chcą po prostu być np. w Indiach, albo w Argentynie, albo w Maroku – i już, i tyle. Jest to rodzaj globalnego wałęsania się, współczesnego obieżyświatowania. Podróżują, aby przejechać z punktu A do punktu B i to właściwie jest ich jedyną ambicją – odbyć trasę z punktu A do punktu B.

25 lutego 2001
Miesięcznik „Podróże". Wręczenie nagród młodym podróżnikom. Jeden z nich (nazwiska nie zanotowałem) opowiada swoje wrażenia z pierwszej wyprawy w świat:
– Podróżowałem naokoło świata. Jest to doświadczenie, które pozwala mi dziś powiedzieć, że ludzie wszędzie są dobrzy. Ale uderzyło mnie jedno. Przyjeżdżamy do jakiegoś miejsca. Otaczają nas ludzie serdeczni, gościnni. U nas będzie wam dobrze, mówią, ale tam dalej, gdzie chcecie

jechać, lepiej się zastanówcie, bo tam żyją ludzie źli i niebezpieczni! A jednak, mimo tych przestróg, jechaliśmy. Na
nowym miejscu znowu otaczali nas ludzie serdeczni i gościnni, ale od razu mówili – u nas będzie wam dobrze, ale
tam dalej, gdzie chcecie jechać – uważajcie, bo tam ludzie
są źli i niebezpieczni. Wszędzie powtarzało się to samo.

„Wszędzie po drodze zostawia się cząstkę siebie".
Tadeusz Makowski, *Pamiętniki*

Korzenie ludzkości są na południu naszej planety, ludzkość zaczyna się w słońcu. Dopiero znacznie później człowiek dociera na północ i tam próbuje się zadomowić.

Przez pięć ostatnich stuleci Afryka ma dwie różne histo-
rie: historię wybrzeży (to dzieje handlu, grabieży, kontaktów i konfliktów międzykulturowych) oraz historię obszarów położonych w głębi kontynentu, do których obcy rzadko docierali i dzięki temu toczyło się tam życie tradycyjne,
niezależne od świata zewnętrznego, zachowały się stare
królestwa, przetrwały pradawne struktury społeczne, oby-
czaje i religie.

Czy w religiach afrykańskich istnieje modlitwa? Raczej
– obrządek magiczny, śpiew, tańce ekstatyczne. Te religie
nie mają swojego źródła w Księdze. Ich tradycja przekazy-
wana jest przez starszych – stąd ważna rola, jaką odgrywa-
ją oni w tamtych społeczeństwach. Stąd szacunek, jakim
się cieszą. Starszy – to ten, który jest depozytariuszem, który przekazuje, który wie. Ponadto wierzy się, że w tamtych
nędznych warunkach życia, które przez to jest krótkie, ten,
który doczeka sędziwych lat, musi być jakoś wyróżniony

przez bogów, wybrany przez nich, a tym samym ważniejszy, wyższy od innych.

Mizumu – tak nazywają się duchy przodków w społeczności Baganda. Zaniedbywane przez żywych stają się złe, wywołują choroby, a nawet przynoszą śmierć. Bóg u Baganda nazywa się Katonda. Moc tajemną mają również drzewa, skały, rzeki. Świętym przedmiotem jest krowi róg. W plemionach pasterskich panuje kult krowy. „Król rodzi się z serca krowy", pisze antropolog Luc de Hensch.

Afryka: – *You eat!* Jedz! To wezwanie, jakie kierują do chorego. Rodzaj choroby jest tu nieważny. Każdą chorobę wyleczysz – jedząc. Jedzenie cię wzmocni, a będąc silnym, pokonasz każdą chorobę. Panuje tu przekonanie, że źródłem chorób jest bieda, głód. Ten, kto biedny, chodzi głodny, a głodny jest słaby, więc musi chorować. Ale jedzenie ma jeszcze inny plus. Człowiek najedzony nosi się z godnością, ma dumną minę i pewny siebie chód. Jeszcze lepiej, jeśli ma duży brzuch. Wszyscy taki brzuch podziwiają. Jakiż kontrast z biedakiem! Biedak jest chudy, przemyka się chyłkiem, nieśmiały i zawstydzony, jakby nie chciał, abyśmy go widzieli, jakby przepraszał, że żyje.

W polityce afrykańskiej widzi się wyłącznie zło, korupcję, często – zbrodnię. Stąd symbolami kontynentu są tacy oprawcy i degeneraci jak Amin, Mobutu, Nguema czy Doe. Tymczasem Afryka wydała również polityków wspaniałych, świetnych mężów stanu. Ich nazwiska? Choćby – Juliusz Nyerere, Nelson Mandela, Agostinho Neto, Amical Cabral, Thomas Sankara, Leopold Senghor i wielu, wielu innych.

Ugandyjski socjolog, Mahmud Mamdani, mówi mi, że źródłem nieszczęść Afryki jest słabość państwa postkolonialnego. Państwo to od początku niezdolne było do funkcjonowania. Tymczasem młody, buńczuczny nacjonalizm afrykański zamiast je reformować, usprawniać, ulepszać, robił wszystko, aby petryfikować ten pokraczny, biurokratyczny twór, nie pozwalać, aby ktoś go dotknął.

Pisarz gwinejski – Manthia Diawara, w swojej książce *In Search of Africa* nim wyłoży poglądy jakiegoś autora, najpierw ustala, jakiej jest on rasy i płci i wedle tego ocenia wartość i znaczenie jego stanowiska. Np. Sartre? To biały mężczyzna. Nie zawsze uświadamiacie sobie, zdaje się mówić Diawara, jak ważny dla naszego sposobu myślenia i odczuwania jest właśnie kolor skóry i płeć.

Rwanda. Kiedy tu jestem, ktoś z miejscowych mówi mi:
– To kolonialiści wpoili nam różnicę między Tutsi i Hutu. Myśmy takich rozróżnień nie znali.

W społeczeństwach tradycyjnych wiele energii poświęca się utrzymaniu harmonii i zgody. Jeżeli wybucha kłótnia, a dzieje się to często, ludzie nie dochodzą źródeł konfliktu, przyczyny i istoty sporu, lecz cały wysiłek kierują na przywrócenie zgody i ładu, godząc zwaśnionych, szukając kompromisu, godzinami nad tym dyskutując.

Tanzania. W głębi kraju spotkałem starszego mężczyznę. Siedział przed swoją chatą na kłodzie drzewa. Nic nie robił. Jego wnuk służył za tłumacza. Mówił: – Dziadek powiedział, że ze świata zna tylko swoją wioskę i drugą, która jest obok. Tę drugą można stąd zobaczyć, bo leży tam, na wzgórzu. Co jest dalej – dziadek nie wie, ale mówi, że dalej jest pewnie tak samo jak tutaj.

Kiedy mały skończył, stary uśmiechnął się do mnie i pokazał ręką wzgórze i wioskę – miejsce, w którym kończył się świat.

Afrykańscy pisarze – choćby Ngugi Wa-Tiongo czy Chinua Achebe, krytykują Josepha Conrada, Karen Blixen i in. za to, co piszą o Afryce (*Jądro ciemności, Pożegnanie z Afryką*). Zarzucają im, że podobnie jak inni biali pisarze jeżdżą do Afryki nie po to, aby ją poznać i wejść w jej świat, ale żeby uporać się z jakimiś prywatno-subiektywnymi problemami, żeby rozładować się, zapomnieć itp. Słowem Afryka, jeżeli dla nich istnieje to jedynie jako tło, jako sceneria, wśród której mieszkańcy tego kontynentu przesuwają się tylko jako anonimowe i słabo widoczne cienie.

Jeszcze Afryka:
Mauretania. W 1963 roku jedziemy z Francuzem z Senegalu przez piaski Mauretanii. Natrafiamy na umierającą wioskę. Martwi ludzie siedzą oparci o gliniane ściany lepianek, leżą na podwórkach. Musiała przejść tędy jakaś epidemia – cholera, *cerebral malaria*, sam nie wiem – co. Tropik rodzi choroby w nieprawdopodobnych ilościach. Wśród lichych domostw biegają nerwowo psy, kręcą się bez wyraźnego kierunku i celu, jakieś ogłupiałe, zamroczone. Na progu jednej z lepianek – wychudły starzec. Żyje jeszcze, bo wyciąga do nas rękę. Francuz ma kilka aspiryn, które daje starcowi. Ten bierze, ale nie ma siły zacisnąć dłoni i pastylki lecą na ziemię. Jedziemy dalej – do Nuakszott. Przy wjeździe – posterunek żandarmerii. Z blaszanego baraku wychodzi rozmemłany żandarm. Francuz opowiada mu o wiosce, która umarła. Żandarm słucha obojęt-

nie, wzrusza ramionami, prosi o papierosa i pośpiesznie chowa się w cień baraku, bo słońce pali nielitościwie.

Uganda. Ruch mistyczno-militarny Johna Kona. Jego ludzie porywają dzieci, biją je, głodzą. Jedna z tortur – w koszmarnym upale, jaki przez cały rok tam panuje (pogranicze Ugandy i Sudanu), ta armia uciemiężonych i zbłąkanych dzieci musi codziennie, od świtu do nocy, maszerować. Rezultat – zmęczenie, otępienie, przygnębienie, apatia, zupełna dezorientacja. Czasem ataki zbiorowego szału, w czasie którego dziecięce oddziały Kona napadają na wioski mordując wszystkich, paląc i grabiąc, co w nich jeszcze jest do zrabowania.

Religie tropików muszą mieć silniejsze zakazy seksualne, ponieważ gorący klimat ułatwia dostęp do ciała kobiety.

Tropiki: w porze suszy zwiększa się ruch ludzi, to okres odwiedzin i wypraw. Inaczej w porze deszczowej – ruch słabnie, tonące w deszczu drogi – pustoszeją, wezbrane rzeki uniemożliwiają przeprawę. Pora deszczowa to również nasilenie chorób i epidemii.

Słabość antropologii europejskiej to traktowanie społeczności pozaeuropejskich jako obiektu badań, a nie jako partnerów kulturowych.

Kiedy wgłębiamy się w świat mitów i legend stworzonych przez stare religie i wierzenia – hinduskie, tybetańskie, azteckie, afrykańskie – zdumiewa nas bogactwo i niewyczerpana wprost kreatywność ludzkiej wyobraźni, jej pomysłowość, inwencja narracyjna, wrażliwość kolorystyczna, intuicja psychologiczna. Ileż ta wyobraźnia stworzyła bogów i bóstw, jak nieprawdopodobnymi obdarzyła ich cechami, jak niezwykłe wyznaczyła im losy! Ale jej źródła najwyraźniej wyschły, inwencja na tym polu wyczerpała się, bo od kilkunastu wieków nie pojawiła się żadna religia uniwersalna.

23 lipca 2001
W Radio Swoboda wywiad z Aleksandrem Jakowlewem. Jakowlew był kiedyś członkiem Biura Politycznego KC KPZR, potem ideologiem pierestrojki i najbliższym współpracownikiem Gorbaczowa. Teraz w swoim wywiadzie mówi, że w ostatniej, chruszczowowsko-breżniewowskiej fazie system komunistyczny trzymał się głównie na rytuale. Kto przestrzegał rytuału – mógł jakoś żyć. Z tym że istniały dwa rodzaje życia – to rzeczywiste, prywatne i to oficjalne, właśnie – rytualne.
Dalej mówi, że nigdy nie wierzył w szanse dysydentów. Uważa, że system mógł być zmieniony tylko od wewnątrz, przez „milczący front reform" – wewnątrz partii. Ale stało się jeszcze inaczej. Zdaniem Jakowlewa, system został pokonany swoją własną bronią – upadł, ponieważ był przeżarty cynizmem, a mianowicie cały aparat partii był przekonany, że to, co mówi przywódca, to, co zapowiada i obiecuje, nigdy nie będzie spełnione. Dlatego ludzie aparatu spokojnie słuchali tego, co mówił Gorbaczow, kiedy zapowiadał reformy i demokratyzację, spokojnie głosowali na niego, gdyż wierzyli, że z obietnic pierestrojki nie wypełni niczego.
A przyszłość? Jakowlew boi się rosyjskiej klasy biurokratycznej. Urzędnicy połkną każdą reformę – przepowiada. Połkną i nic z niej nie zostanie.

20 sierpnia 2001

W dalszym ciągu upał. Rozpalone niebo ma barwę masy perłowej. Był Sławek Popowski, korespondent „Rzeczpospolitej" w Rosji. Jutro wraca do Moskwy. Mówi, że Putin umocnił się, że nie ma groźnej opozycji. Opozycja została zepchnięta na margines. Pytam o nazwiska głośne w latach pierestrojki. Tych ludzi już nie ma, odpowiada, nie wiadomo, co się z nimi stało. Koło historii obraca się szybko, ludzie nie wytrzymują tempa, odpadają, zostają w tyle, jeszcze ich widać jakiś czas, a potem już znikają bez śladu.

22 lipca 2001

Oglądałem kolejny etap Tour de France (do Saint-Lary, w Pirenejach). Wygrał Amerykanin Lance Armstrong. Za nim, po minucie, wpadł na metę Niemiec, a po nim dwóch Hiszpanów. Ale te kolejności ustaliłem dopiero nazajutrz, czytając gazetę, bo na ekranie telewizyjnym nie sposób było zorientować się, gdzie który kolarz jedzie. Na trasie bowiem panuje tłok, jedzie pełno kolorowych, barwnie, krzykliwie wymalowanych motocykli i samochodów, napierają, wylewają się na asfalt tłumy podekscytowanych widzów, doprawdy trudno w tym rozgardiaszu wyłowić wzrokiem jadącego, czy wręcz – przeciskającego się kolarza. Ginie on jak aktor na gigantycznej, zatłoczonej dekoracjami scenie, właściwie go nie widać, zresztą i tak wszyscy są tu tylko sobą zajęci, wszyscy sami się zabawiają na tym ożywionym i hałaśliwym *corso* i trzeba uważnie i cierpliwie wpatrywać się, aby wśród tej cyrkowej feerii, tego rozbawionego festynu dostrzec umęczoną, poskręcaną straszliwym wysiłkiem sylwetkę kolarza próbującego ostatkiem sił wdrapać się na niebotyczną górę, na której szczycie znajduje się – nareszcie! nareszcie! – meta etapu.

Paryż. Słoneczny poranek. Ludzie spieszą do pracy. Pędzą samochody i motocykle. Ale obok, na Place Saint-Germain-des-Prés – trochę ciszej. Po jednej stronie placu stoi w zieleni drzew jasna, piaskowa bryła Église Saint-Germain-des-Prés. Naprzeciw, w cieniu markiz, rzędy stolików Café Les Deux Magots. To kawiarnia Sartre'a i Simone de Beauvoir. Dalej – Librairie La Hune i następnie Café de Flore. Literatura francuska połowy XX wieku obraca się wokół tego miejsca, które napełnia mnie teraz, kiedy tu stoję, wielkim nabożeństwem.

Ewa Garlik, która od pół roku mieszka i pracuje w Londynie, opowiada mi swoje wrażenia:
Londyn – ogromny, bez granic. Przytłaczające odległości. Ewa jedzie do pracy godzinę, ale zna takich, którzy w jedną stronę jeżdżą dwie godziny i dłużej: codziennie, niemal połowa dnia w kolejkach dojazdowych, metrze, autobusach. W monotonnym stukocie kół, wśród twarzy obojętnych, zmęczonych, w tłumie, który kolebie się rytmicznie, monotonnie, biernie, miesiącami, latami. Jak to wpływa na myślenie człowieka, na jego wrażliwość, żywotność, energię? Wszyscy stłoczeni, do siebie przyciśnięci, wszyscy tuż obok, czując ciepło innych, a jednak sobie obcy, siebie nieciekawi, nawet jedno drugiemu niechętne. Gdzieś tam globalizacje i internety, czyli niby wspólnoty i zbliżenia, w rzeczywistości ich pozór, bo kiedy człowiek naprawdę spotyka człowieka cieleśnie, fizycznie, oko w oko, odzywa się w nim inność, odzywa obcość, czuje, że coś go odrzuca.

Pociągiem z Bolonii do Mediolanu. Jest lato 2000. Za oknem przesuwa się ziemia płaska, zaorane pola, postrzępione linie miedz, błotniste drogi polne, ruchliwo-nieruchome stado ptaków zawieszone w powietrzu pod chmurnym niebem, słowem widok jak z Mazowsza czy Kujaw, bardzo polski.

Przedtem na dworcu w Bolonii. Podróż to często wielka strata czasu – czekanie i czekanie, wszędzie: na przystankach, na lotniskach, w hotelach i portach. A najgorsza rzecz w czekaniu? Że nie wie się, jak będzie długie. Że nie ma kogo spytać, bo ci inni wokół nas też nie wiedzą. Stopniowo popadamy w otępienie: już nie czujemy, już nie myślimy. Czas – zwykle liczony, skrupulatnie mierzony, śledzony uważnie na zegarku, teraz staje się względny i rozciągliwy, jego niegdyś ostre, wyraziste rysy zacierają się, czas nabiera ciężaru, staje się lepki i swoją nieznośną kleistością obezwładnia nas na dobre.

„Le Monde" z 22 kwietnia 2000:
Brazylia – pięćset lat temu mieszkało tu pięć milionów Indian, dziś zostało ich tylko trzysta tysięcy. Być może jeszcze przed końcem XXI wieku i ci będą wymordowani.

1 maja 2000
Rano wróciłem z Nowego Jorku. Spędziłem tam tydzień. W czasie jednego ze spotkań poznałem moją tłumaczkę irańską – Roshan Vaziri. Była z córką – Miriam, która pracuje w Nowym Jorku jako dentystka. Miriam mówi, jak trudno jest skupić Amerykanów wokół jednej sprawy, gdyż to społeczeństwo jest *very community minded*. Każdy jest członkiem jakiejś *community* i myśli tylko o jej sprawach. Jest *community of black blind women* i *community of white blind women* itp. Innym problemem, mówi Miriam, jest to, że media odwracają uwagę od ważnych spraw tworząc krótkotrwałych pseudobohaterów, którymi zajmują się miliony telewidzów: O.J. Simpson, Monika

Lewinsky, mały Kubańczyk Gonzalez, całe korowody nieznanych nam jeszcze wczoraj postaci, które dzisiaj zajmują nam cały czas, by jutro zniknąć z ekranów na zawsze.

20 listopada 2001

Dzień z Francisem Fukuyamą. Ciekawił mnie jego sposób myślenia, jego widzenie świata.

Fukuyama – w średnim wieku, skromny, uprzejmy. Spokój, grzeczność, żeby nie powiedzieć – nieśmiałość to jego sposób bycia, zachowania wobec innych, natomiast w dyskusji, autor *Końca historii* jest partnerem bardzo trudnym, a ściślej – w ogóle nie można z nim dyskutować, nie dopuszcza bowiem do wymiany zdań. Na każde pytanie ma gotową odpowiedź, którą wygłasza od razu, bez wahania, tonem pewnym, nie znoszącym sprzeciwu. W tym myśleniu nie ma miejsca na zwątpienia, znaki zapytania, sceptycyzm. Jeżeli jest problem, to wcześniej czy później będzie rozwiązany. Bieda? Zostanie zlikwidowana. Choroby? Wynajdzie się lekarstwa. Zanieczyszczenie powietrza? Zainstaluje się filtry itd., itp. Rzeczywistość nie stawia oporu, a jeżeli stawia – będzie on przełamany. W świecie Fukuyamy mogą oczywiście pojawiać się trudności, ale wszystkie z pewnością zostaną przezwyciężone. Pełny, zwycięski optymizm.

W tym sposobie myślenia o nic nie można zaczepić, żeby nawiązać rozmowę, dialog. Powierzchnia dyskursu jest gładka, aerodynamiczna, bez trudu pokonująca siły oporu.

Z jednej strony mamy poczucie szerokiej, wielkiej bezgraniczności – że ciągle coś odkrywamy, że pomnażamy naszą wiedzę, zgłębiamy największe tajniki życia, ale z drugiej widzimy, że nie można poprawić, ulepszyć najprostszych rzeczy, np. żeby błyskawiczne zamki nie miały zacięć, żeby samoloty odlatywały o czasie itd.

„Muszę to gdzieś powiedzieć – pisał jeszcze w 1952 roku Mircea Eliade – że najważniejszym fenomenem dwudziestego wieku nie była – i nie stanie się – rewolucja proletariatu, jak to przed siedemdziesięciu czy osiemdziesięciu laty przepowiadali marksiści, lecz odkrycie człowieka pozaeuropejskiego i jego duchowego kosmosu... Ciekawe byłoby zobaczyć, jaką wagę miały dla Marksa cywilizacje egzotyczne i tradycyjne (pierwotne). Dziś zaczynamy bowiem zdawać sobie sprawę z godności i duchowej autonomii tych kultur. Dialog z nimi wydaje mi się o wiele ważniejszy dla przyszłości europejskiej duchowości niż odnowa, jaką mogłaby przynieść radykalna emancypacja proletariatu".

Wpływ mojego dzieciństwa na późniejsze fascynacje:
Pińsk leżał na peryferiach, kiedyś – Polski, teraz – Europy. Może dlatego ciągle pociągają mnie peryferie świata. Klimat peryferii, czas, który płynie tam powoli, ospale, gnuśna i senna atmosfera, puste uliczki, nieruchome twarze wyglądające przez małe okna, przez uchylone firanki. Pamiętam martwą ulicę Bernardyńską i nagle wyrosłą na niej czarną sylwetkę rabina. Idzie pośpiesznie, rozgląda się zdenerwowany, jakby zorientował się, że pomylił światy i że musi szybko wrócić do niebytu.

24 czerwca 2001
Po latach jeżdżenia po świecie moim ideałem stała się cela klasztorna. Puste ściany, drzwi, okno, łóżko, stół, kilka książek, papier, ołówek. Okno wychodzi na wirydarz. Wirydarz jest pusty. Rośnie tu jedno drzewo. Rośnie trawa. Rosną krzaki berberysu. Nie widać nic więcej. Nie dochodzą żadne odgłosy z zewnątrz. Czasem zabłądzi tu ptak. Czasem spadnie deszcz. Zimą robi się biało.
Rano sygnaturka zapowiada modlitwę. Modlitwa jest

wezwaniem do skupienia. Przypomina, jak jest ono ważne. Przypomina też o pokorze, o świadomości granicy: nie możemy wszystkiego objąć. Nie możemy dojść do celu. Możemy się tylko przybliżyć. I to już jest bardzo dużo, nie wszystko, ale naprawdę – dużo.

Potem przechodzimy do refektarza na śniadanie. W czasie jedzenia nie rozmawiamy. Następnie idziemy do cel. Każdy do swojej. Słychać odgłosy zamykanych drzwi. Teraz, aż do obiadu, mam spokój. Mogę usiąść do stołu i pisać.

7 września 2001

Rano – badanie. Dowiedziałem się, że c o ś mam w lewej nerce. Lekarz żegnając się ze mną miał zafrasowaną minę i nie patrzył mi w oczy.

11 września 2001

Ważny jest każdy dzień, każda godzina. Czuję, jak popędza mnie czas, czuję jego presję. Niepokój we mnie. Ciągłe wyrzuty sumienia z powodu straconych chwil. Niechęć do wszystkiego, co nie jest pisaniem, obmyślaniem nowego tekstu, książką.

Temat ten nasunęło mi moje reporterskie doświadczenie. Blisko pół wieku podróżuję po świecie, czas więc sumować wrażenia z tych wędrówek.

Banalne jest stwierdzenie, że świat jest różnorodny, a przecież od tego trzeba zacząć, ponieważ owa różnorodność jest konstytutywną cechą naszej rodziny człowieczej, cechą pomimo upływu tysięcy lat – niezmienną.

Jednakże, mimo tej rzucającej się w oczy różnorodności, właśnie jej zrozumienie i akceptacja napotykają stały opór rozumu ludzkiego. Nasz rozum przejawia tendencje apodyktyczne, unifikujące, domaga się, aby wszędzie i wszystko było tożsame i jednorodne, aby liczyła się tylko nasza kultura, nasze wartości, które – bez pytania innych o zdanie – uznajemy za jedynie doskonałe i uniwersalne.

I w tym tkwi wielka sprzeczność świata – sprzeczność między jego faktyczną, obiektywnie istniejącą różnorodnością a upartym dążeniem umysłu ludzkiego do zastąpienia jej przez wizję świata zunifikowanego, bezdyskusyjnie homogenicznego. Ileż konfliktów – w tym i najbardziej krwawych, miało swoje korzenie w owej nie dającej się pogodzić sprzeczności!

Jak było dawniej? Nie sięgając w zbyt odległą przeszłość, przez ostatnie pięć wieków, a więc od czasu wypraw Kolumba, istniała pewna „nierówna równowaga", która charakteryzowała kulturową sytuację świata, a mianowicie przez owe pięćset lat na naszej planecie dominowała kultura europejska, której wzorce, miary i symbole stanowiły uniwersalne kryterium dla wszystkich. Europa panowała nie tylko politycznie i ekonomicznie nad światem, również jej kultura była punktem odniesienia i wartościowania wszystkich pozostałych – jakże zresztą licznych i odmiennych kultur.

Wystarczyła znajomość kultury europejskiej, więcej – wystarczyło po prostu być Europejczykiem, naturalnym lub naturalizowanym, aby czuć się wszędzie gospodarzem, panem domu, włodarzem świata. Europejczyk nie potrzebował do tego żadnych kwalifikacji, dodatkowej wiedzy, szczególnych przymiotów rozumu czy charakteru. Obserwowałem to jeszcze w latach pięćdziesiątych i sześćdziesiątych w Afryce i w Azji. Jakiś w swoim własnym kraju bardzo przeciętny, a nawet niezdolny i nisko ceniony Europejczyk po przyjeździe do Malezji czy Zambii zostawał od razu wysokim komisarzem, prezesem wielkiej spółki, dyrektorem szpitala lub szkoły. Miejscowi słuchali z pokorą jego pouczeń, spieszyli przyswoić sobie jego uwagi i teorie. W belgijskim Kongo władze kolonialne stworzyły kategorię tzw. *evolués* – zaliczano do niej tych, którzy już wyszli ze stanu plemiennej „dzikości", ale jeszcze nie zasłużyli na miano ludzi zeuropeizowanych: *evolués* byli kimś pomiędzy, kimś w drodze ku – Bruksela wiązała z nimi nadzieję, że dzięki wysiłkom, nakładom, cierpliwości i dobrej woli uda im się kiedyś wznieść na wyżyny europejskości, a to oznaczało – na wyżyny człowieczeństwa. Cały ów bolesny i upokarzający proces, jakiemu poddani byli *evolués*, opisał Albert Memmi w swojej znakomitej książce pt. *The Colonizer and the Colonized*. W innej, autobiograficznej książce pt. *Portrait d' un Juif* Memmi, Tunezyjczyk pochodzenia żydowskiego, pisze, że tradycyjnie los Żyda „był ledwie o szczebel lepszy od losu muzułmanina" – ta sama chęć zapędzenia go do getta, ta sama aura podejrzeń o spiski mające zburzyć ład świata, ta sama dola kozła ofiarnego – sprawcy wszystkich nieszczęść i dramatów. I towarzyszące tej sytuacji zaszczucia to samo poczucie poniżenia i odepchnięcia.

Wiek XX był nie tylko stuleciem totalitaryzmów i wojen. Był to jednocześnie wiek dekolonizacji, wielkiego wyzwolenia. Trzy czwarte mieszkańców naszej planety wydobyło się z podległości kolonialnej i – przynajmniej formalnie – stało się pełnoprawnymi obywatelami świata. Takiego wydarzenia nie było nigdy w historii i nigdy już więcej nie będzie.

Jednakże w ocenie dekolonizacji uwaga ówczesnej opinii skupiona była na jej aspektach politycznych i ekonomicznych, na takich kwestiach jak systemy rządzenia w nowych państwach, jak pomoc zagraniczna, zadłużenia czy walka z głodem.

Tymczasem ów wielki ruch kontynentów zależnych – ku wolności – był zarazem niebywałym zjawiskiem cywilizacyjnym, które dało początek zupełnie nowemu, wielokulturowemu światu. Oczywiście różnorodność kultur istniała zawsze, niezliczonych świadectw ich bogactwa i odmienności dostarczają nam od lat archeologia i etnografia, historia ustna i pisana. Ale w czasach nowożytnych dominacja kultury europejskiej była tak przygniatająca i zupełna, że inne pozaeuropejskie kultury bądź znajdowały się w stanie uśpienia i hibernacji – jak np. arabska i chińska, bądź nawet zupełnego zmarginalizowania i wyłączenia – jak np. kultury Bantu czy andyjska.

Otóż pierwszy wyłom w tym eurocentrycznym monopolu, w panującej i niemal zupełnej dominacji kultury europejskiej, dokonuje się w początkach ery dekolonizacji, więc w połowie XX wieku.

Jednakże następnie proces ten zostaje na cztery dziesięciolecia przytłumiony i przyhamowany przez zimną wojnę. Surowe, bezwzględne prawa tej wojny nie pozwalają na rozwój kultury – to doświadczenie jest wspólne całemu zniewolonemu światu.

A przecież te ledwie odradzające się i jeszcze nieokrzepłe kultury pozaeuropejskie potrafiły – mimo ograniczeń i przeszkód – żyć, rozwijać się, nabierać świadomości samych siebie. W rezultacie, kiedy skończyła się zimna wojna, okazały się one już na tyle samodzielne i dynamiczne, że mogły przejść do drugiego, trwającego obecnie etapu: określiłbym go jako etap wyraźnej już samoświadomości, rosnącego poczucia własnej wartości i wyczuwalnej ambicji, aby zająć ważne miejsce w nowym, demokratyzującym się, wielokulturowym świecie.

Jakże ogromne zmiany dokonały się w tym pozaeuropejskim świecie! Europa była w nim kiedyś mocno osadzona i przez swoje instytucje, i przez swoich ludzi. Dzięki temu, podróżując nawet do odległych zakątków globu, miało się wrażenie, że w jakimś sensie człowiek nie opuszczał Europy – była wszędzie! Jeżeli dotarłem do Morondavy na Madagaskarze, czekał tam na mnie hotel europejski, jeżeli leciałem z Salisbury do Fort Lamy, pilotami miejscowych linii byli Europejczycy, jeżeli byłem w Lagos, mogłem kupić w kiosku londyńskiego „Timesa", czy „Observera". Nic takiego nie jest dziś możliwe. W Morondavie jest tylko hotel malgaski, piloci są Afrykańczykami, w Lagos można kupić wyłącznie prasę nigeryjską. Zmiany w instytucjach kulturalnych są jeszcze większe. Na uniwersytetach w Kampali, w Vanarasi czy Manili profesorów europejskich zastąpili miejscowi akademicy, a na międzynarodowych targach książki w Kairze zdecydowanie dominują książki w języku arabskim. Zresztą słowo m i ę d z yn a r o d o w y co innego znaczy w Europie, a co innego w Trzecim Świecie. Jeżeli np. oglądam dziennik telewizyjny w Gabarone (stolica Botswany), to w części zagranicznej będą wiadomości z Mozambiku, Swazilandu, Zairu – to wszystko. Jeżeli taki dziennik oglądam w La Paz (stolica Boliwii), to część zagraniczną wypełnią doniesienia z Argentyny, Kolumbii i Paragwaju. Z każdego punktu ziemi świat wygląda inaczej i inaczej go rozumiemy. Bez przyjęcia tej prostej prawdy trudno nam pojąć zachowania innych, motywy i cele ich zachowań.

Tymczasem mimo postępów w komunikacji i łączności nasza wzajemna znajomość – wbrew rozpowszechnianym mitom, jest nadal powierzchowna, a najczęściej – żadna. Entuzjasta rewolucji medialnej – Marshall McLuhan – uważał, że dzięki telewizji nasza planeta przekształci się w „globalną wioskę". Dziś wiemy, że trudno o bardziej fałszywą metaforę. Bo istotą wioski jest przede wszystkim emocjonalna i krewniacka bliskość, wzajemnie oddawane ludzkie ciepło, intymna, osobnicza znajomość, wspólnota współobecności i współprzeżywania. Nie, nie żyjemy w globalnej wiosce, ale raczej w globalnej metropolii, na globalnym dworcu czy stacji, przez które przewala się „samotny tłum" Davida Riesmana, tłum mijających się obojętnie, zapędzonych, znerwicowanych ludzi, którzy nie chcą się wzajemnie znać i zbliżyć. Prawda jest raczej taka, że im więcej elektroniki, tym mniej ludzkich, człowieczych kontaktów.

Obecność europejska znika z wielu obszarów naszej planety.

Znakomity reporter włoski Riccardo Orizio wydał w zeszłym roku książkę pt. *Zagubione białe plemiona* o ginących już grupach Europejczyków, których odnalazł jeszcze w Sri Lance, na Jamajce, w Haiti, Namibii i Gwadelupie. To na ogół starzy już, samotni ludzie, bo młodzi wyjechali, a nikt nowy z Europy nie przyjeżdża. W ostatnich bowiem dekadach Europa, wraz ze swoją kulturą, wycofywała się z obszarów tradycyjnie należących do takich cywilizacji jak chińska, hinduistyczna, islamska czy afrykańska. Nie mając więcej interesów politycznych i coraz mniej – ekonomicznych, Europa nie umiała dotąd znaleźć nowych form obecności i współżycia z tymi cywilizacjami. Ale jej miejsce nie zostało puste. Rozkwitają już na nim ambitne, liczne i prężne kultury rodzime.

W ostatnich trzech latach odbyłem szereg dłuższych podróży do krajów Azji, Afryki i Ameryki Łacińskiej. Mieszkałem wśród latynoskich chrześcijan i azjatyckich muzułmanów, wśród buddystów i animistów, Indian z Puno i Hindusów, Gujańczyków i Sudańczyków. Pierwszy raz zetknąłem się z nimi kilkadziesiąt lat temu, kiedy ledwie zaczynali wychodzić ze stanu wielowiekowej zależności. Co mnie teraz w nich uderzyło? Co najbardziej zwróciło moją uwagę?

Otóż ich postawa nacechowana godnością, dumą ze swojej kultury i wiary, z przynależności do własnej, odrębnej cywilizacji. Żadnych kompleksów niższości, tak ongiś wyraźnych i dokuczliwych, przeciwnie – ambicja bycia respektowanym, uznawanym za równego. Kiedyś z faktu, że byłem Europejczykiem, miałem różne przywileje. Teraz, owszem, znajdowałem gościnę, ale przywilejów nie miałem już żadnych. Kiedyś pytali mnie o Europę, dziś już nie – dziś mają własne sprawy i troski. Nadal byłem Europejczykiem, ale już Europejczykiem zdetronizowanym.

Ta rewolucja godności i poczucia własnej wartości dokonała się szybko, ale przecież nie błyskawicznie, nie z dnia na dzień. Dlaczego więc Zachód jej nie zauważył?

Ponieważ Zachód miast interesować się tym, co dzieje się w świecie, nad którym dominował przez pięćset lat, oddał się rozkoszom konsumeryzmu i aby smakować je w pełni, odgrodził się i zamknął w sobie obojętniejąc na wszystko, co leży poza jego granicami. W ten sposób nie dostrzegł, że powstał nowy świat – wczoraj podbity i pokorny, a dziś coraz bardziej niezależny, wyzywający, hardy. Ten proces izolowania się Zachodu od krajów nierozwiniętych i uboższych opisał niedawno świetny reporter francuski Jean--Christophe Rufin w swojej książce *L'empire et les nouveaux barbares. Rupture Nord-Sud.* Zachód, pisze Rufin, chce się odgrodzić, jak kiedyś Rzym, szczelną zaporą *limes*, albo nieprzekraczalną granicą apartheidu, zapominając, że owi „barbarzyńcy" stanowią dziś ponad 80 procent ludzkości! Jego pierwszą reakcją na nowe odrodzenie, jakie zaczynają przeżywać ludy Trzeciego Świata, to zamknąć się przed nimi szczelnie. Ale dokąd prowadzi ta droga nieufności i niechęci w świecie po brzegi naładowanym bronią; bronią, którą w dodatku mają wszyscy?

A więc strategia zerwania i zamknięcia nie jest dobrym wyjściem. Jakież więc pozostaje rozwiązanie? Spotkanie, poznanie, dialog? To już nie tylko propozycja, to już powinność, którą stawia przed nami rzeczywistość świata wielokulturowego. W tym względzie Europa stoi przed wielkim wyzwaniem. Musi znaleźć sobie nowe miejsce w świecie, w którym kiedyś korzystała z wyłączności swojej pozycji, a teraz wypadło jej pędzić żywot w rodzinie wielu innych kultur, które napierają, wspinają się w górę (jak choćby poprzez rosnącą stale emigrację przedstawicieli tych kultur do krajów europejskich).

A przecież to nowe, planetarne środowisko kulturowe może okazać się dla Europy inspirujące, korzystne i płodne. Bo zetknięcie kultur i cywilizacji nie musi prowadzić do zderzenia. Może ono – jak dowodzili choćby Marcel

Mauss, Bronisław Malinowski czy Margaret Mead – być obszarem wymiany, pożądanego kontaktu, wzbogacenia. Georg Simmel uważał wręcz, że podstawowym procesem w życiu społeczeństw ludzkich jest powstawanie wartości z ducha wymiany. A wymiana zakłada klimat przychylny wzajemnemu poznaniu, rozumieniu, kompromisowi. Otwiera to nową szansę dla Europy. Siłą kultury europejskiej była zawsze jej zdolność do przemiany, reformy, adaptacji – właściwości, które są i teraz konieczne, aby mogła ona odegrać ważną rolę w wielokulturowym świecie. To tylko kwestia jej woli, żywotności, wizji.

Europejscy myśliciele pierwszej połowy XX wieku zastanawiali się wielokrotnie nad przyszłą cywilizacją świata, nad jej kształtem i treścią.

Na przykład Florian Znaniecki w swojej książce jeszcze z lat trzydziestych *Ludzie teraźniejsi a cywilizacja przyszłości* pisał: „Stoimy wobec alternatywy. Albo powstanie cywilizacja wszechludzka, która nie tylko uratuje wszystko, co warte uratowania z cywilizacji narodowych i doprowadzi ludzkość do poziomu, przewyższającego najśmielsze marzenia utopistów, albo cywilizacje narodowe się rozpadną, to znaczy, że choć świat kultury nie zostanie zniszczony, największe jego systemy, najbardziej wartościowe wzory, utracą wszelkie znaczenie życiowe..."

(Wykład wygłoszony w Fundacji Judaica w Krakowie jesienią 2001)

Współczesność to relatywizm postmodernistyczny, to także dramaturgia sprzeczności.

Dyskusja o tym, co jest cywilizacją, a co kulturą, i jakie są między tymi pojęciami różnice, trwa od lat. Próbę jej podsumowania daje niemiecki filozof Norbert Elias w swojej książce *Über den Prozess der Zivilisation*. Streszczenie:

Cywilizacja to pojęcie zachodnie. Dla Niemców pojęcie cywilizacji obejmuje wszystko, co stanowi zewnętrzne, materialne osiągnięcia ludzkości, to, co można zobaczyć, ewentualnie dotknąć. Natomiast kultura to najgłębsze, duchowe wartości człowieka.

Z kolei w tradycji francusko-angielskiej mianem cywilizacji obejmuje się wszelkie osiągnięcia i zachowania człowieka. W rozumieniu niemieckim pojęcie cywilizacji jest drugorzędne wobec pojęcia kultury stanowiącej najbardziej wzniosły wytwór ducha. To rozróżnienie w tradycji francusko-angielskiej jest niewyraźne, zatarte.

Cywilizacja, według Eliasa, pomniejsza różnice narodowe, kładzie nacisk na ujednolicenie, unifikację (dziś powiedzielibyśmy – globalizację świata), natomiast kultura – przeciwnie – podkreśla różnice narodowe, odmienności, odrębności, unikalność, niepowtarzalność każdej tożsamości.

Współczesna cywilizacja na najwyższym piedestale stawia nowość – nowość to bożek, jedyne, niepodważalne kryterium. Jest to również cywilizacja szybkiego i zupełnego zapominania, w której wszystko, co się pojawia przed naszymi oczami, istnieje tylko przez chwilę, żeby zaraz rozpłynąć się i zniknąć bez śladu.

Żeby zrozumieć i zasmakować wysokiej kultury, również jej odbiorca musi mieć wysoką kulturę.

Życie upływa nam wśród kiczu, w otoczeniu zdominowanym przez kicz. Nawet ci, którzy oddają się sztuce wysokiej, poruszając się w codzienności, ciągle ocierają się o kicz.

Dwa rodzaje kiczu:
– kicz w otoczeniu biednym,
– kicz w otoczeniu luksusowym.

Kicz nie jest niewinny, nie jest obojętny. Przeciwnie, kicz nieustannie atakuje, jest prowokacją, agresją, złem. Z kiczu bierze się wszystko najgorsze – kłamstwo, wojny, totalitaryzm. Jest karykaturalnie uwznioślą brzydotą, rynsztokiem pokropionym perfumami i oprawionym w ramy ze sztucznego złota.

Istnieje wiele kultur, w których moda nie zmienia się wiekami. Często jest tak dlatego, że ubiór – jego krój i barwa, są oznaką tożsamości rodziny, klanu, plemienia, symbolem, plastycznym znakiem, po którym rozpoznajemy swoich. Gdyby kobieta zmieniła ubiór – straciłaby tożsamość, ubiór w takim wypadku jest identyfikatorem, czasem jedynym, jakim się dysponuje. Byłoby to objaśnienie rytualne, kulturowe. Jednakże powodem zachowywania tej samej mody może być również ubóstwo. Kogoś, a w tym wypadku całej społeczności, po prostu nie stać na nowe sukienki, wdzianka, buty. Są też i względy praktyczne – w klimacie tropikalnym lekki, najprostszy, luźny ubiór jest najbardziej wygodny i higieniczny. W tamtych krajach nie ulega się dotąd terrorowi mody panującemu w Europie, gdzie często w czasie ślizgawicy kobiety muszą chodzić w butach na wysokich obcasach, bo tak nakazuje panujący styl.

W świecie symboli zachodzą gwałtowne zmiany. Dawniej symbolami nędzy były łachmany i bose nogi. Pamiętam w Kalkucie i Kairze tłumy tak wyglądających nędzarzy. Teraz łachmany zniknęły, bo każdy może mieć za grosze, nawet za darmo, koszulki, dżinsy, plastikowe klapki. Można zobaczyć zegarek na wyciągniętej ręce żebraka. Rynki świata są zawalone tanią, niemal darmową tandetą. Ale czy przez to nędza przestała być nędzą?

Przy zetknięciu z obcą kulturą zachowuj się rozważnie i ostrożnie. Wiedz, że otacza cię labirynt niewidocznych murów, których nie przebijesz żadną siłą. Raczej zatrzymaj się i pozwól, aby powoli zaczął cię unosić niewidoczny, ale rychło wyczuwalny rytm, pulsowanie tej nowej kultury, jej niedostrzegalne, ale silne fale, które same poniosą cię w pożądanym kierunku poznania i zadomowienia.

Wielokulturowość – teoria ta kryje pułapkę apartheidu.

Dziś nie wystarczy wyrazić jakąś ideę, mieć coś istotnego i ważnego do powiedzenia. Konieczne są bowiem mechanizmy (i kapitał), aby je rozpowszechnić, nadać im rozgłos. Sądzi się czasem, że jakiś pogląd zyskał sławę ze względu na swoją niezwykłość i głębię, tymczasem stało się tak, bo autorowi tej tezy sprzyjały ważne ośrodki medialne i finansowe.

Wszelkie utopie – i te, które kuszą, i te, które budzą grozę, są wyrazem dążenia człowieka do ładu. W każdej utopii wszystko jest uporządkowane, ułożone, ponumerowane. Nie ma chaosu, bałaganu, rozgardiaszu. A jednak tylko pewien bałagan, nieporządek, rozluźnienie pozwalają normalnie żyć, oddychać, istnieć.

Nadmierna prędkość jest nie tylko przyczyną wypadków drogowych. Nadmierna prędkość jest również przyczyną upadku kultury, której brakuje czasu na refleksję.

W „La Stampa" (10 lipca 2001) Luigi Forte rozmawia z Hansem Magnusem Enzensbergerem.
H.M.E.: „Dziś nauki biologiczne zajęły miejsce utopii ideologicznych. Utopie to były fantazje na temat stworzenia idealnego społeczeństwa i nowego człowieka. Dzisiaj miejsce utopii zajęły nauki ścisłe. Niebezpieczeństwem jest swojego rodzaju megalomania – nie będzie już chorób, będziemy mogli stać się nieśmiertelni. To stare mrzonki, które dziś uzurpują sobie prawo do miana nauk ścisłych".
H.M.E.: „Dziś znaleźliśmy się na nowym terytorium i

zobaczymy, jak wszystko się potoczy... w tej fazie rozwoju dominują niepewność i ryzyko".

H.M.E.: „Pesymizm i optymizm to są kategorie raczej prymitywne... Człowiek, który jest wyłącznie optymistą, nie jest zbyt inteligentny. Świat jest bardziej skomplikowany, o czym wszyscy wiemy".

18.12.2000

Wieczorem, w Pałacu Kazimierzowskim jubileusz 70- -lecia znakomitego profesora historii – Jerzego Holzera. Jest całe nasze towarzystwo z wydziału historii UW lat pięćdziesiątych – Geremek, Mączak, Samsonowicz, Tazbir, Wyrobisz. Było też młodsze pokolenie – Michnik, Roszkowski. Spotkałem tam Mirosławę Marody. Mówiliśmy o kwitnącej dziś w świecie kulturze celebracji, świętowania, obchodów jubileuszów i rocznic, ale nie rocznic wielkich powstań czy bitew, lecz prywatnych, związanych z życiem towarzyskim i osobistym. Kilka dni temu mój przyjaciel, pisarz austriacki – Martin Pollack, mówił mi o zwyczajach młodego pokolenia w Wiedniu. Przyjęło się tam obchodzić, na przykład, pierwszą rocznicę znajomości Kogoś z Kimś albo trzecią rocznicę przyjaźni Iksa z Igrekiem. U sąsiadów niedawno obchodzono pierwszy miesiąc od narodzin ich syna, u innych znajomych szóstą rocznicę przeprowadzki na nowe mieszkanie. Zdaniem Martina wszystko to podkreśla wolę niezmiennego trwania, dążenia do podtrzymywania, w tym poszatkowanym czasie, pewnych wątków ciągłych, bo obchody tych prywatno-osobistych rocznic mają uzewnętrzniać naszą chęć, aby wszystko było dalej tak, jak jest, słowem upływ czasu ma wyrażać się w sumowaniu, w dodawaniu, a nie w zmianie: pierwsza rocznica, trzecia, siódma, dwunasta itd. tego samego zdarzenia. Krótko mówiąc, jesteśmy dziś konserwatywni i w tym burzliwym, bezosobowym, gwałtownie zmieniającym się świecie próbujemy zachować coś własnego, jakiś skrawek życia, w którym możemy jeszcze czuć się u siebie.

sobota, 18.8.2001

Wieczorem, w telewizji koncert Volks-Musik z Niemiec. Niemcy rozśpiewani, rozbawieni, zadowoleni. Iluż na takim koncercie występuje śpiewaków, chórów, zespołów tanecznych, orkiestr! Ale bo też w Niemczech w każdej wiosce i miasteczku ludzie zbierają się systematycznie, żeby śpiewać, grać, recytować i tańczyć. Niemcy czują i wiedzą, że muzyka integruje, sprzyja tworzeniu wspólnoty, żywych, mocnych, niemal krewniaczo głębokich i trwałych więzi.

Pieśni ludowe, to był rodzaj mapy kultur – po słowach i melodiach tych pieśni można było poznać, skąd one pochodzą i skąd pochodzą ci, którzy je śpiewali – z jakiego regionu, z jakiej okolicy, nawet – wsi. Ale to geografia dziś już znikająca, zewsząd bowiem dolatują nas te same dźwięki, rytmy, dudnienia, łomot.

Szwajcarski pisarz i reporter – Nicolas Bouvier:
– „kultura zachodu stara się tworzyć jedynie to, co przyjemne, czyli – byle co";
– „są miasta zbyt popędzane przez historię, aby zadbać o swój wygląd";
– „mobilność reportera ułatwia mu bezstronność".

Telefon komórkowy zaspokaja nasze egocentryczne instynkty. Obserwuję to na lotniskach. Ledwie zaczynamy wysiadać z samolotu, już ludzie wyjmują z kieszeni telefony. Słyszę, jak kogoś tam zawiadamiają – już przylecieliśmy. Lot był bardzo dobry. Potem – teraz właśnie czekam na bagaż. Za chwilę – już jestem w hallu. Po co to wszystko mówią? Po co zawracają komuś głowę?

Trzy dziewczyny idą razem. Ale nie rozmawiają ze sobą. Każda, przez komórkę, rozmawia z kimś dalekim, nieobecnym.

„Prawdziwa sztuka nie jest naśladowaniem, lecz odkrywaniem rzeczywistości".

Ernst Cassirer

Współczesne techniki masowego, błyskawicznego i taniego kopiowania ułatwiają też powielanie arcydzieł literatury, malarstwa i muzyki, a to ma coraz bardziej ujemny wpływ na szanse i losy utworów aktualnie powstających, a nie mogących równać się z arcydziełami. Wydawnictwa nie chcą ich wydawać, muzea wystawiać, orkiestry wykonywać. I choć powszechnie uważa się, że kultura masowa zabija tę wyższą, mamy tu wypadek inny, mianowicie – kultura wyższa, dzięki temu że jej zdobycze mogą być masowo i tanio powielane, tłumi i marginalizuje utwory współczesne, nawet wartościowe i ambitne, ale nie sięgające wyżyn arcydzieła.

Sztuka jest dialogiem – to oczywiście banał, ale wart przypomnienia w takim oto kontekście: kiedy czytamy tekst, oglądamy obraz, słuchamy koncertu, dobrze jest wiedzieć, z kim twórca – tworząc – rozmawiał, z kim dyskutował i sprzeczał się, o co występował i za czym obstawał, aby dzięki tej wiedzy, lepiej zrozumieć dzieło. Bo znowu, jak zawsze, kontekst jest bardzo ważny!

Maj 2000

Po powrocie ze Stanów Zjednoczonych. W sztuce, w literaturze coraz więcej tego, co można określić jako szalone, *crazy*. Używa się języka, którym wszystko można powiedzieć, ale nic – serio, poważnie. Można mówić i pisać na każdy temat, ale nic nie budzi emocji, nie można się niczym przejąć. Zresztą, to co powiesz i tak zginie w szumie, w narastającym zewsząd szumie, nieokreślonym, natarczywym, który wciska się do głowy, męczy i otępia.

Pytałem w wydawnictwach, co robią moi znajomi pisarze amerykańscy? Piszą. Żyją i piszą. Z tym że nie oczekuje się żadnych niespodzianek, niczego, czym mogliby zaskoczyć.

To powiedział mi Leon Wieseltier – naczelny tygodnika „The New Republic". Jesteśmy w Waszyngtonie, we wspaniałej, zadrzewionej, starej dzielnicy Mintwood Place. Ciepły, spokojny wieczór. Leon chwali Waszyngton, mówi o jego wyższości nad przytłaczającym, ogromniastym Nowym Jorkiem. Nowy Jork, dodaje, to światowe miasto, które jest w gruncie rzeczy bardzo prowincjonalne. Jego zdaniem, są dwa rodzaje prowincjonalizmu: prowincjonalizm prowincji, często odległej i zapomnianej, oraz prowincjonalizm wielkich miast – zamkniętych, zapatrzonych w siebie. Dla jego mieszkańców nic poza ich miastem nie istnieje, a to właśnie – niedostrzeganie i nieuznawanie innych światów – jest główną cechą prowincjonalizmu.

George Andreu z Wydawnictwa Knopf mówi mi o sytuacji w sztuce amerykańskiej: w dużym stopniu zaczyna
dominować pseudosztuka, gusta klasy średniej, która nie
chce zniżyć się do kultury masowej, ale nie jest przygoto-
wana do przyjęcia kultury prawdziwie wysokiej. Szuka
więc pseudosztuki, aby zaspokoić snobizm obcowania ze
sztuką wysoką, bez niezbędnego wysiłku, jakiego takie
obcowanie wymaga. Podaż w dziedzinie pseudo- jest dziś
ogromna, tłok taki, że coraz mniej tu miejsca na rzeczy
autentycznie wybitne i wartościowe.

W tej sytuacji nie sposób ustalić wiarygodne kryteria –
poruszamy się w świecie pozorów i złudy, chaosu, zgiełku,
zatartych konturów, nietrwałych i rozmytych niby-warto-
ści, w świecie, właśnie – pseudo-.

W dodatku Amerykanie nie mają wspólnych korzeni
kulturowych, a jedyną jednoczącą ich ideologią jest kon-
sumeryzm.

Dawna sztuka stawiała człowieka wobec problemów
zasadniczych, eschatologicznych. Miał on do wyboru niebo albo piekło, anioła albo diabła, zbawienie lub potępie-
nie. Wprawiało go to w stan napięcia, powagi, wzniosłości. A przede wszystkim nie mógł przed tymi dylematami
uciec, nie mógł schować głowy w piasek.

Natomiast sztuka współczesna, zwłaszcza ta spod zna-
ku kultury masowej, rzadko stawia odbiorcę w podobnej
sytuacji. Jest wolna od surowej mistyki, nie osądza, nie
zmusza do chodzenia nad przepaścią, do poruszania się w
ciemnościach. Jest nastawiona na rzeczy błahe i zdawko-
we, na beztroskie spędzanie czasu. Chce nas utrzymać z
dala od grozy i obcowania z tym, co nieodwołalne i osta-
teczne.

Dyrektor Luwru – Pierre Rosenberg – mówi korespondentce „Newsweeka" (2.7.2001) – Danie Thomas, że zwiedzający (sześć milionów rocznie) przychodzą do Luwru nie dlatego, że daje im to przeżycia estetyczne, ale ponieważ „należy pójść do Luwru". Dlaczego nie znajdują w tym przyjemności? – pyta Thomas. „Ponieważ zrozumienie dzieła sztuki nie jest łatwe" – odpowiada Rosenberg i dodaje, że takie rozumienie wymaga przygotowania, studiów, natomiast wychowanie dla sztuki zanikło na całym świecie („*Now this knowledge is lost all over the world*"). Żeby ludzie sami chcieli pójść do muzeum, musi się w nim coś dziać, musi ono być miejscem jakiegoś zdarzenia artystycznego, imprezy, widowiska.

Umieć zachwycać się – to może najważniejsze, bo to oznacza, że nasza wrażliwość jest żywa, że chłonie, umie dostrzec niezwykłość i piękno w rzeczy najbardziej błahej, codziennej. „Widzieć jasno, pisał Proust, w zachwyceniu". I oto znajduję wiersz Michała Anioła, który w przekładzie Leopolda Staffa zaczyna się słowami:

> Radość to nowa spoglądać w zachwycie,
> Jak się zuchwałe kozy pną na skały...

Świetny malarz Jerzy Wolff w swojej książce pt. *Wybrańcy sztuki* (1982):

„jest obraz organizmem i tylko wtedy staje się sobą, kiedy może żyć życiem własnym, swoim, zamkniętym..."

„Nade wszystko o k o jest odbiorcy malarstwa niezbędne. Oko chłonne, oko czułe, oko, które należy kształcić po to, aby osądzało prawdziwie".

„Forma przeżycia zależna jest w wielkiej mierze od tego, co się o sztuce wie w ogóle..."

„Prawdy należy szukać we wzajemnych stosunkach elementów, a nie w nich samych... Dlatego właśnie o wszystkim w sztuce decydują owe stosunki; od nich też zależny jest jej charakter. Wszelkie nowatorstwo polega na odkrywaniu nowych stosunków między starymi elementami".

Wielki Courbet. Jak niewiele potrzebował dla siebie! Jest zima 1864–1865. Pewnego dnia Courbet rusza w drogę: „Jechał oślim zaprzęgiem przez granicę – pisze Marie Luise Kaschnitz – aby odwiedzić w Szwajcarii swojego skazanego na wygnanie przyjaciela Buchona. Cały jego bagaż składał się z jednej koszuli i pary skarpetek na zmianę. Zamierzał zabawić tydzień, pozostał trzy miesiące, gdy zaś zrobiło się zimno, kupił sobie na tandecie wełniany koc i wyciął w nim nożycami dziurę, przez którą wkładał głowę. W tym skromnym odzieniu siedział potem całymi dniami na dworze i malował; niekiedy, aby ogrzać swoje ręce, rozniecał nędzne ognisko".

7.04.02
Ikony: w tradycji bizantyjskiej autorstwo obrazu, rzeźby, budowli, pieśni nie miało znaczenia. Dzieło traktowano jako utwór otwarty, który można przerabiać, zmieniać, uzupełniać. Stąd nie znamy autorów większości ikon, co najwyżej wiemy, z jakiego pochodzą monastyru czy miejscowości. Miliony ikon spalono w piecach, spłonęły w czasie pożarów, zjadła je rdza lub korniki.

Jeżeli ikona traciła barwę albo przygasała gwiazda świętego, którego przedstawiała, na starym obrazie malowano nowy, potem, na nim – jeszcze nowszy: jest wiele takich ikon wielowarstwowych, ikon – palimpsestów.

W Rosji teatr miał zawsze wielkie znaczenie. Stanisławski, Wachtangow, Meyerhold – teatr był dla nich miejscem poszukiwań, niepokoju, tworzenia.

I dziś jest podobnie. Nowa metoda teatralna nazywa się – *verbatim*. Ponieważ brak jest gotowych sztuk teatralnych o współczesności, więc tworzy się teatr, dla którego teksty zbiera się w sposób, w jaki robią to reporterzy. A więc na początku aktorzy i dramatopisarze mają za zadanie przeprowadzić wywiady z różnymi ludźmi. Następnie przepisują te teksty i na ich podstawie tworzą scenariusz. Uderza potoczny charakter języka, jego hiperrealizm. To nowe dramatopisarstwo – to *czernuszka*, czyli sama ponurość. Żadnych nagości, żadnych scen przemocy, wyłącznie narracja, słowo, tekst. A po spektaklu – zażarte dyskusje na widowni. W sztukach często biorą udział dziennikarze. To oni, razem z dramatopisarzem i reżyserem, wyruszają w teren, np. do obozu uchodźców i przywożą wywiady, filmy wideo, własne impresje i z tego robią teatr – *verbatim*.

Trafne porównanie angielskiej pisarki – Jeanette Winderson w jej eseju „O sztuce": patrzenie na dzieło sztuki „przypomina sytuację, gdy nagle znajdziemy się w obcym mieście. Stopniowo, pod wpływem pragnienia i desperacji opanowujemy kilka podstawowych słów i schematów składniowych, które wyrąbują nam przecinkę w gęstwinie milczenia. Sztuka, cała sztuka, nie tylko malarstwo, jest takim obcym miastem: oszukujemy się utrzymując, że dobrze ją znamy".

W trwających od lat sporach na temat postmodernizmu, dużo nieporozumień wynika stąd, że nie odróżnia się postmodernizmu jako ideologii, od postmodernizmu jako określenia różnych nowych zjawisk charakteryzujących cywilizację współczesną.

Postmodernizm jako ideologia to światopogląd nacechowany relatywizmem, nihilizmem, dezynwolturą, pogardą dla tradycji, wartości, zasad. Natomiast postmoder-

nizm jako określenie obiektywnie występujących dziś zjawisk jak:
- zastępowanie struktur hierarchii przez strukturę sieci,
- uznanie racji Innego, jako racji równorzędnej,
- powszechne rozmnożenie wszystkich zjawisk, postaw, poglądów, szkół, tendencji,
jest terminem ideowo obojętnym i pożytecznym.

Po zajęciu Polesia przez Armię Czerwoną we wrześniu 1939 pałace i dwory miejscowego ziemiaństwa – Radziwiłłów, Ordów i Skirmuntów – padły łupem okolicznego chłopstwa. W ciągu kilku dni z salonów i sypialń zniknęły rzadkie i cenne meble, zegary, rzeźby i obrazy, które chłopi przenieśli albo przewieźli do swoich nędznych chat, lichych stodół, walących się gumien.

Po latach, wędrując po Polesiu, próbowałem odnaleźć i zobaczyć coś z tych skarbów.

Ale niczego nie znalazłem. Wszystko zniknęło bez śladu. Rzeczy, nawet bardziej niż ludzie, wyrwane siłą ze swojego otoczenia – giną. Aby drogie i szlachetne meble istniały, spełniały swoje funkcje, odgrywały wyznaczone im role, muszą mieć godne, pełne uznania i elegancji otoczenie. Muszą mieć odpowiednią przestrzeń, powietrze, światło. Stałą i troskliwą opiekę. Kogoś, kto będzie stale i uważnie czyścił lustra, wietrzył szafy, odkurzał kanapy, pedantycznie polerował srebra i mosiądze, dbał o jakość politury, o czystość kryształów, połysk i gładkość werniksu.

Po raz pierwszy pomyślałem wówczas o komodach i szezlongach, etażerkach i serwantkach jako o istotach żywych, o delikatnej i kruchej wrażliwości, dla których życzliwe i wytworne otoczenie jest warunkiem pomyślnego i długowiecznego istnienia. W innym środowisku szybko tracą sens, kształt i barwę i zupełnie już bezużyteczne giną w walących się szopach, na śmietnikach albo w gnojówkach.

Pisarz tylko zaczyna, dopiero czytelnik dzieło dopełnia, rozwija i wzbogaca. Dlatego prawdziwy kryzys książki powstaje tam, gdzie czytelnik odnosi się do niej obojętnie, przestaje ją współtworzyć.

Żeby literatura była w pełni zrozumiała, trzeba, abyśmy w jej tekstach odnajdywali własne doświadczenie. To nasze doświadczenie służy nam za tłumacza tekstu, bez tego jest on niezrozumiały, obcy.

Kryzys słowa drukowanego bierze się również stąd, że percepcja tekstu jest wolniejsza niż obrazu i że informacja, jaką może dać fotografia, jest szybsza i bardziej ekspresyjna niż długi artykuł prasowy. A ponieważ żyjemy w świecie tempa i pośpiechu, otwierając gazetę odruchowo patrzymy najpierw na zdjęcia, a dopiero później – ewentualnie – czytamy informacje i komentarze.

Co szkodzi literaturze? To, że coraz częściej czytelnik patrzy na tekst literacki, jak na artykuł w gazecie: szuka w nim informacji, doraźnego komentarza o świecie. Mało zwraca uwagi na walory stylu i języka, na artyzm formy, głębie analiz psychologicznych. Media więc nie tyle zabijają literaturę, ile deformują jej odbiór. Czytelnik patrzy na tekst literacki oczyma, których wrażliwość uformował sztampowy, płaski, banalny i nieskomplikowany świat mediów.

Czytać to odkrywać coś, co jest poza tekstem lub w jego głębi, pod jego powierzchnią, widoczną, „dotykalną", to odkrywać sens, do którego nie można dotrzeć, jeżeli się tylko czyta.

Współczesna literatura coraz bardziej wycofuje się w prywatność, w zacisze, w minimalizm. Rezygnuje z panoram, syntez, wizji.

Heidegger mówi gdzieś o „psychologiczno-biograficznej inklinacji naszej epoki".

Sytuację w eseistyce charakteryzuje dziś ofensywność i tupet ignorantów oraz bezradność i gorycz erudytów i mędrców.

„W naszych czasach – użala się w 1843 roku Søren Kierkegaard – pisanie książek podupadło bardzo, ludzie piszą o rzeczach, nad którymi nigdy nie rozmyślali, a jeszcze mniej je przeżywali". Mija osiemdziesiąt lat, a ubolewania nad sytuacją książki nie mijają. Oto w 1926 roku Jerzy Stempowski pisze, że w tymże roku „znakomity pisarz, p. Juliusz Kaden-Bandrowski robi swym czytelnikom srogie wyrzuty. Nie chcą czytać, nie popierają książki. Dzięki ich obojętności upadają księgarnie, bankrutują wydawnictwa. Są pieniądze na zakąskę i wódkę, ale brak ich na książkę". Itd. itp. Mijają następne dziesięciolecia, a sens i ton opinii o książce zostaje niezmiennie ten sam.

Arkadiusz Bagłajewski ("Odra", kwiecień 2001) o sytuacji w literaturze polskiej: "Wszystko więdnie, kurczy się, zanika, nic nikogo nie obchodzi. Znużenie. Wielkie znużenie. Coraz wolniej... Pisanie. Setki, tysiące wierszy. Co z nich wynika?... Wieczny rytuał powtórzeń... Literatura współczesna – czy potrzebna?". W podobnym duchu, w rok później, Czesław Miłosz w "Kwartalniku artystycznym".

Twórczość to selekcja, odkuwanie zbędnego kamienia. Kamienna rzeźba – czyli to, co pozostało.

Nie wyjątkowość tematu, lecz odmienność, oryginalność spojrzenia na tę samą rzecz, decyduje o wartości dzieła.

Luty 2002

Przeczytałem dwa ważne teksty:
Marguerite Duras – "Pisać":
– "pisać to żyć samotnie, w stałej izolacji od ludzi";
– "pisać znaczy także nie mówić. Zamilknąć";
– "jedynie pisanie przyniesie ocalenie".
Drugi tekst wydrukował "The Economist". Australijska autorka Mari Rhydwen i jej mąż płynęli jachtem z Australii do Afryki. Zajęło im to dwa lata, ale po drodze spotykali ludzi, którzy tą trasą płynęli już dziesięć lat. Mari głosi pochwałę życia bez zegarka i kalendarza, bez terminów, bez tempa. Nie spiesz się! Nie pędź! Nie szalej! *„Just ram-*

ble!", tzn. włócz się! wałęsaj! *„Take time!"* – Spokojnie!
Wolno! Zatrzymuj się! Kiedy się spieszysz, nic nie widzisz,
nic nie przeżywasz, niczego nie doświadczasz, nie myślisz!
Szybkie tempo wysusza najgłębsze warstwy twojej duszy,
stępia twoją wrażliwość, wyjaławia cię i odczłowiecza.

Kiedy czyta się czasopisma literackie wychodzące w
Nowym Jorku, Londynie czy Paryżu, rzuca się w oczy, jak
świat zachodni jest zamknięty w sobie i nawet nie próbuje
obejmować i włączyć innych obszarów planety, zaintere-
sować się nimi, nawiązać kontakty. Koniec zimnej wojny
niczego tu nie zmienił.

Mircea Eliade – *Dziennik emigranta*:
„Balzac wyznał kiedyś: »Nie potrafię pracować, jeśli
czeka mnie wyjście z domu i nigdy nie zasiadam do pracy
na godzinę czy dwie zaledwie«. To także mój problem".
O *Dzienniku* Gide'a: „Masa banalnych szczegółów i try-
wialnych obserwacji zostaje uszlachetniona przez sam fakt
utrwalenia ich przez to, że ktoś je spisał".
„pod powierzchnią wydarzeń kryją się tajemnice. Muszę więc ukazać dwuznaczność każdego »wydarzenia«, a
mianowicie zwrócić uwagę na to, że pozornie banalne
»zdarzenie« może zawierać cały wszechświat transcenden-
talnych znaczeń". Co oznacza, że muszę „odkrywać *sa-
crum* zakonspirowane w zwykłości".

– Zrobili z nas instytucje – mówi mi w Konstancinie
Tadeusz Różewicz. – Starają się zrobić z pisarza gwiazdę
estrady, gwiazdę rocka, ulubieńca tłumów, prestidigitato-
ra, kuglarza, kiedy – przeciwnie – potrzeba mu odosobnie-
nia, spokoju i ciszy.

Julian Krzyżanowski w swojej książce pt. *Henryk Sienkiewicz* (PIW, 1956) pisze: „W pięć lat po wydaniu *Ogniem i mieczem* Sienkiewicz wspomniał o kłopotach z tytułami swoich utworów. Tytuł *Ogniem i mieczem* wymyślił Olendzki, *Potop* – Henkiel, *Ta trzecia* – zapewne Wolff". (Byli to dziennikarze, koledzy Sienkiewicza).

Jeszcze z tej samej książki: w 1914 roku, na kilka miesięcy przed śmiercią, w swoje 70-lecie, Sienkiewicz pisze: „Gdybym się mógł oderwać od swoich trosk, spraw i nagabywań, a skupić się całkowicie i wyłącznie na robocie, czuję, że napisałbym całkiem porządną powieść. Ale dzięki głupocie i niedelikatności ludzkiej jest to niemożliwe". (Już wówczas, kiedy jeszcze nie było tak rozbudowanych i zwielokrotnionych mediów. A co dopiero teraz!)

Katherine Mansfield – *Dziennik*:
10 I 1915. Wracają wieczorem ze spotkania. Ciemno i wiatr. Jest słaba, jej serce ledwie bije: „Zaśpiewaliśmy piosenkę, żeby móc dalej iść".
12 II 1915. O dniu, w którym może pisać: „Byłam dziś w stanie łaski".
10 V 1915. Jest w Paryżu: „Odkryłam cudowne zakątki... placyki... wąskie uliczki..."

Świat Gabriela Garcíi Márqueza: prowincjonalne miasteczko. Upał. Martwota tropikalnego dnia. W architekturze niszczejących dziś fasad domów widać ślady dawnej świetności. Na to miasteczko spada nagle, jak jastrząb – śmierć (kogoś zabijają, ktoś umarł). Ta śmierć ożywia, pobudza pamięć ludzi, zaludnia ją wspomnieniami. Powracają sceny z przeszłości, na moment przeszłość staje się bardziej realna niż rzeczywistość.

I jeszcze – śmierć uwyraźnia samotność ofiary. Ta samotność była jak gdyby zapowiedzią, przedsionkiem śmierci, śmiercią za życia.

Miasteczko jest abstrakcyjne. Nawet jeżeli w tekście pojawiają się nazwy miejscowości, nic nam one nie mówią. To dzieje się gdzieś – nigdzie – wszędzie. Bo wszystko w tym świecie jest nieokreślone, niedopowiedziane, mgliste, zatarte.

Panuje atmosfera kleistej senności, ruchy są spowolniałe, życie coraz to przystaje, chowa się w cieniu, zapada w drzemkę. Nic się tu nie dzieje i to n i c autor cierpliwie, uważnie drąży, szuka w nim historii.

W „Le Monde Diplomatique" (sierpień 2001) nie drukowany dotąd wywiad z Borgesem, przeprowadzony jeszcze w 1978 roku w Paryżu przez Ramóna Chao.

Na początku autor *Fikcji* uprzedza: „nie jestem nigdy pewien tego, co mówię. Niczego nie twierdzę, raczej proponuję pewne ewentualności. Dlatego proszę najpierw wybrać kilka zwrotów w rodzaju »może«, »prawdopodobnie«, »jest możliwe, że«, a czytelnik umieści je sobie później w miejscach, które uzna za stosowne". Wielki pisarz jest ostrożny, pełen wahań, ambiwalencji. Ten stan nie opuszcza go, kiedy mówi o językach: „Ojciec był Hiszpanem, mówiłem z nim po hiszpańsku. Matka – Angielką, więc mówiłem z nią po angielsku. Kiedy byłem dzieckiem, wysłano mnie do Szwajcarii, gdzie mówiłem z guwernantką po francusku. Stąd wierzyłem – jako małe dziecko, że każdy człowiek ma swój własny język, więc – że istnieją setki milionów języków. Ale to właściwie okazuje się przypuszczalnie prawdą, skoro ludzie nie są w stanie porozumieć się ze sobą".

W tym samym wywiadzie Borges wspomina, że za młodu nie lubił podróżować. Natomiast podróże zaczęły go pasjonować na starość, kiedy oślepł. Ale utrata wzroku wcale mu nie przeszkadza. Nie musi widzieć nowych miejsc, wystarczy, że „j e c z u j e".

Na lato reklamują książki lekkie, rozrywkowe, a przecież powinni zalecać te najtrudniejsze, bo tylko w okresie wakacji człowiek ma czas, żeby takie – wymagające wysiłku i skupienia – książki poznać.

Nadużycia i nonsensy reklamy. Wydawnictwo Amber reklamuje wydaną właśnie powieść Howarda Fasta (rocznik 1914) pt. *Mojżesz*. Reklama wydawnictwa mówi o „genialnej prozie" Fasta „autora ponad 70 powieści".

„Ponad" – to znaczy właściwie ile? 71 czy 79? Różnica wynosi 8 powieści. Przecież to ma znaczenie – 8 powieści! A tu tak lekceważąco rozmyto sprawę w owym nieokreślonym „ponad".

Ale o co innego mi chodzi. Jak może ktoś napisać „genialną prozą" 70 powieści? Toż to nawet Szekspir nie był w stanie! Zważywszy, że Fast debiutował w roku 1931, a przestał wydawać w końcu wieku, musiał publikować więcej niż jedną powieść w roku, w dodatku napisaną „genialną prozą"! Fenomen nieznany w dziejach literatury świata! Dlaczego tak było o tym cicho? Dlaczego nikt wcześniej nie ogłosił światu tej rewelacji?

30 marca 2001

W wieku 73 lat zmarł Robert Ludlum, jeden z najbardziej poczytnych pisarzy świata (za życia Ludluma sprzedano blisko trzysta milionów egzemplarzy jego dwudziestu dwóch książek). We wspomnieniach podkreśla się jego niezmordowaną, systematyczną pracowitość – wstawał codziennie o 4.30 rano i pisał ręcznie dwa tysiące słów. Był mistrzem konstruowania sensacyjnej fabuły, która od pierwszej do ostatniej strony trzymała czytelnika w napięciu.

Czytałem Clifforda Geertza „O gatunkach zmąconych", esej jeszcze z początku lat osiemdziesiątych. Coraz więcej jest książek, których nie da się zaklasyfikować używając kryterium tradycyjnych gatunków. Zdaniem Geertza świat, rzeczywistość można interpretować na trzy sposoby. Więc:
– świat jako grę,
– świat jako scenę,
– świat jako tekst.
To wszystko jest, w dodatku, ruchome, zmącone, trudne do zdefiniowania.

czerwiec 2001

Targi książki w Saint-Malo, w północno-zachodniej Francji. Od rana do wieczora – tłumy. W czasie wieczorów autorskich zatłoczone sale, ludzie stoją pod ścianami, siedzą na parapetach. Słuchają uważnie, w zupełnej ciszy.

W budynkach, w rozstawionych dużych namiotach niekończące się rzędy stoisk z książkami. Masy, masy książek. Uwagę bywalców przyjeżdżających tu od lat zwraca rosnąca liczba autorów. Ma się wrażenie, że dzisiaj wszyscy piszą książki, piszą i jakoś je wydają. Dziesiątki, setki nowych, nieznanych nazwisk. Tak dużo, że nie sposób ich zapamiętać. Bywalcy uspokajają, że nie trzeba ich zapamiętywać, bo za rok większość tych nazwisk zniknie, a na ich miejsce pojawią się tłumy nowych. Brak pisarzy posiadających już utwierdzoną pozycję, duży dorobek, ugruntowaną reputację. Dominują autorzy jednej–dwóch książek, którzy pojawiają się nagle i równie szybko znikają bez śladu. Panuje prawo rynku, targowiska, konkursu stoisk, na które trzeba stale wykładać nowy towar, żeby za chwilę zastąpić go jeszcze nowszym. Rządzi doraźność, atrakcyjne jest tylko to, co nowe. Współczesna literatura nie ma już swoich mocarzy, ich miejsce zajęła anonimowa rzesza autorów, którzy próbują swojego szczęścia, a nie znalazłszy go, będą zajmować się czymś innym, reklamą, giełdą, akwizycją, możliwości są najróżniejsze.

W tej sytuacji, skoro współcześni autorzy nie prezentują się jako ludzie, dla których pisarstwo jest jedynym celem życia, jest wszystkim, ale tylko czymś takim, co można próbować, bo a nuż uda się i zacznie popłacać – nie dziwi nawrót do klasyków, do wielkich wypróbowanych, którzy byli zawsze serio, bo tego serio poszukuje się, tej powagi i wzniosłości, a więc do Prousta, Joyce'a, Eliota, Musila, Sartre'a, Camusa. Ich dzieła ciągle się wznawia, mają nowych i nowych czytelników.

1.08.2001

Radio podaje, że w Chinach ukazała się ostatnio powieść Saddama Husejna i zbiór opowiadań Kadafiego. Już wszyscy piszą książki, no – niemal wszyscy.

W swoich „Rozważaniach sylwicznych XCIX" („Odra" 3/01) Stanisław Lem zauważa, że „ilość książkowej podaży na świecie dawno już przekroczyła sprawności percepcyjne czytelników". Lem przypomina, że żyjemy w „stuleciu jednorazowego, szybkiego użytkowania" i dodaje, że „w naszych czasach nawet arcydzielne utwory szybko gasną... Nowożytne arcydzieła po jednej–drugiej dekadzie okazują się jednodniówkami. Tłok jest bodaj najgroźniejszym wrogiem piszących..."

Przeczytałem *Rozmowy z Cioranem*. Przenikliwe, głębokie. Nie ma złudzeń. „W końcu zostanie tylko kilkanaście zdań..." – mówi o swojej twórczości.

Jedną z cech reportera jest wrażliwość na wydarzenia, rozgrywające się zarówno w jego pobliżu, jak i gdzieś w świecie. Wydarzenie natychmiast znajduje w nim odzew, jest jak sygnał, jak wezwanie – na koń! Do broni! W takich sytuacjach zachowanie reportera od razu rzuci się otoczeniu w oczy. Zwróci uwagę jego wzmożona ruchliwość, zabiegi, aby zdobyć więcej informacji, pojechać, dotrzeć do miejsca wydarzeń, choćby działy się one na drugim końcu świata. Chęć dotarcia do celu nie da mu spokoju, zajmie wszystkie jego myśli, nie będzie spać po nocach.

Ale ta wrodzona, naturalna wrażliwość na poruszenia świata zewnętrznego, na wypadki, na historię, która się aktualnie dzieje, ma również swoją stronę ujemną, bowiem rozprasza i dekoncentruje, nie pozwala skupić się, zdobyć na merytoryczny sąd. Umysł reportera przypomina bowiem ruchy niespokojnego i wszędobylskiego ptaka, skaczącego z miejsca w miejsce, wzdłuż linii zygzakowatych, łamanych i chaotycznych, nie prowadzących w żadnym określonym i wyraźnym kierunku.

Reporter powinien z wyglądu i zachowania być kimś zwyczajnym, przeciętnym, nie rzucającym się w oczy. Będzie mu wtedy łatwiej wtopić się w otoczenie, nie zwracać na siebie uwagi, nie wyróżniać się, nie budzić swoją osobą, wyglądem i zachowaniem, niczyjej ciekawości.

Gdzieś w prasie meksykańskiej przeczytałem, że reporter uprawia kłusownictwo na różnych polach – socjologii, psychologii, nauk politycznych itd. W tym sensie, reporter to *casador furtivo* (a więc właśnie, po hiszpańsku – kłusownik).

Profesor Tomasz Maruszewski w „Charakterach" (maj 2002) o tym, co jest konieczne, aby zostać psychologiem (dodam – a także reporterem): trzeba rozwijać w sobie triadę:
– wiedzy,
– umiejętności,
– ustosunkowania się do innych.
„Zdobycie umiejętności wymaga uczenia się poprzez doświadczenie". A dalej: „należy prowadzić rozmowę w sposób nieinwazyjny". Także – konieczna jest empatia, tj. „zdolność odczuwania tych emocji, które czują inni". A stosunek do innych? To „otwartość na problemy i pytania, z którymi przychodzą inni, stosunek pełen szacunku, wrażliwości i uwagi".

Różnica między autentykiem, zdarzeniem, faktem a rzeczywistością wyobrażoną jest we współczesnej prozie bardzo płynna, niedefiniowalna.

Media są ekranem świata, na którym bez przerwy pojawiają, się coraz to nowe, wybrane obrazy. Ale kto je wybiera i według jakiego kryterium?

Książka Daniela J. Boorstina *The Image*, z 62 roku. Teza: nie doświadczamy i nie oglądamy już świata bezpośrednio, ale poprzez zniekształcone, fałszywe, oszukańcze i deformujące odbicia w gazetach, telewizji, reklamie. Świat natury oddalił się i zniknął, jego miejsce zajął świat wyobrażony, który możemy dowolnie zmieniać, w zależności od naszych interesów i zachcianek.

Media stają się stopniowo pierwszą władzą, o której względy zabiegają nawet ci ze szczytów polityki. Jest to zrozumiałe, ponieważ człowiek coraz bardziej kształtuje swoje poglądy i przekonania nie tyle na podstawie własnych doświadczeń, ile z informacji i opinii zaczerpniętych z mediów.

W Bogocie spotykam poetę i eseistę kolumbijskiego – Williama Ospinę. Rozmawiamy o mediach: „Media, mówi, powinny nie tylko informować, ale i cywilizować. Ta druga rola, w społeczeństwach zapóźnionych, jest nawet ważniejsza!" A potem dodaje: „Nowoczesność przejawia się nie w technice, ale w ideach. Ktoś może dysponować najnowszą techniką, ale mentalnie, kulturowo należeć do epoki kamienia łupanego".

Czyżby nie było chętnych, aby jechać do Afryki i zbierać materiały do reportaży o tamtejszym życiu? Ależ są! Dziesiątki, setki chętnych. Tyle że właściciele mediów nie chcą dawać pieniędzy, aby nie budzić sumień odbiorców, którzy przecież powinni być zadowoleni i mieć egoistyczną pewność, że celem ich życia jest spokojna, niczym nieograniczona konsumpcja, niezmącona obrazami głodu, scenami biedy i zniszczeń.

24.01.02

Na ulicy spotkałem A.B.
Powiedziałem mu o wrażeniach z mojego pierwszego czatu, o niezwykłym świecie internetu.
– Z przerażeniem myślę o czasie – westchnął – kiedy już nie będzie papieru. Nie będzie czego dotknąć!
Powiedział to z żalem w głosie i zrobił ręką ruch tak czuły, jakby dotykał ciała dziewczyny.

21 sierpnia 2000

Czytając dziś tygodniki amerykańskie, wynotowałem użyteczne zwroty:
– *fast food culture*
– *get big or get out*
– *publish or perish.*
A także (już tłumacząc na polski):
– zwycięzca bierze wszystko
– żyjemy w kulturze naśladownictwa zwycięzców
– nadmiar danych ułatwia karierę bzdurze.

Współczesne media przypominają czasem narkomana – tak jak on, żeby istnieć, musi pobierać narkotyk, tak one, żeby utrzymywać się na rynku, muszą wstrzykiwać w swoje żyły coraz więcej szoku, wstrząsu, horroru.

Lofe Story, czyli francuska wersja *Big Brother* nadawana przez Canal M6. Teraz, w Paryżu, patrzę, jak potomkowie Abelarda i Pascala, Kartezjusza i Diderota, Renana i Prousta zasiadają tłumnie przed telewizorami i z zapartym tchem patrzą, jak jakaś dziewczyna z jakimś chłopakiem wchodzą nadzy pod prysznic, parskają, prychają i pękają ze śmiechu.

Media kształtują naszą postawę konsumpcyjną nie tylko poprzez reklamę, ale i dlatego, że istotą ich działania jest nadawanie, dostarczanie, wciskanie nam wszystkiego. Ten fakt, że nieustannie coś się nam d a j e, jest główną przyczyną naszej bierności, umysłowego uśpienia, pasywnego przeżuwania słów i obrazów. Człowiek nie musi już o nic starać się i troszczyć, o nic walczyć (co było przecież zawsze istotą ludzkiej natury) – bo wszystko jest mu dostarczone już w postaci uładzonej, spreparowanej, gotowej do trawienia.

La mediologie – mediologia, nauka o mediach, rozwijana, jeśli w ogóle nie wymyślona przez Regisa Debraya. Jego tezą jest, że media to współczesny kościół, który mechanizmami reklamy i promocji „wynosi na ołtarze", kampaniami nagonek i oszczerstw swoje ofiary „strąca do piekieł", a swoim wyznawcom – to znaczy, nam wszystkim, urabia poglądy i przekonania, tak jak wiekami robili to wszędzie kapłani.

Profesor orientalistyki – Krzysztof Byrski:
Techniczne środki komunikowania same przez się nie oznaczają umiejętności porozumienia. Potrzebne jest spełnienie warunków, które Hindusi określają mianem *Upaniszada*, czyli – „siedzenie blisko", a więc dialogu żywych, przebywających ze sobą osób.

Coraz bardziej świat nasz jest fotograficzny i żeby dobrze wypaść, coraz bardziej stara się być – fotogeniczny.

Komentarz do fotografii kolorowej: *Farbe ist geschwatzig* (kolor jest przegadaniem).

Wszyscy jesteśmy fotografami posługującymi się zmienną ogniskową. Dzięki jej właściwościom, poruszając pierścieniem obiektywu, możemy obraz każdego obiektu czy sceny powiększyć lub zmniejszyć, wyodrębnić albo pominąć. Z pomocą tego właśnie mechanizmu manipulujemy obrazami świata. Jedne utrwalamy, inne skazujemy na niebyt. Ale ponieważ każdy, w każdej chwili i miejscu, ciągle tą zmienną porusza i przestawia, każda rzecz wygląda na milion sposobów różnie i w związku z tym, na tych milion sposobów jest również widziana i przeżywana.

W czasie jednego tylko dziennika, studio telewizji CNN w Waszyngtonie łączy się bezpośrednio z Paryżem, Kigali, Saratowem i Miami.

Świat skurczył się, przestrzeń została pokonana, straciła tajemnicę. Nie trzeba niczego opanowywać, podbijać, zdobywać – wszystko jest w zasięgu ręki, przyniesione do domu, do stołu, do łóżka. Ale czy tym samym to „wszystko" stało się lepiej i głębiej poznane, lepiej rozumiane?

Polska, w zależności od pór roku, to cztery różne kraje. Zmienia się wygląd miast, zmieniają pejzaże i ubiór ludzi, a także – ich nastroje.

poniedziałek, 1 stycznia 2001

Ranek pochmurny, lekki mróz, trochę śniegu. Pusto – przejechał tramwaj, a w nim jedna pasażerka, przejechały dwa samochody. Na świeżo odnowionym murku wzdłuż Filtrowej mnóstwo nowych graffiti. Rzuca się w oczy nie tyle treść, co wygląd liter – mają one kształty ostre, zaczepne, agresywne. Drażnią, próbują nas wyprowadzić z równowagi, rozwścieczyć. Jest w nich jakieś pokazywanie języka, prowokowanie do zaczepki. Jest to grafika złych intencji, zawiadomienie, że ich autorzy wypowiedzieli nam wojnę i teraz przyglądają się z ukrycia – co zrobimy.

Świetne reportaże Beaty Pawlak pt. *Mamuty i petardy* (PWN, 2001). Cudzoziemcy, z którymi rozmawia autorka, narzekają na chamstwo w Polsce. Że jest powszechne i okropne. Brutalne, bezwzględne i groźne. Uderza jedno – od dziesiątków lat kwantum tego chamstwa nie ulega w naszym kraju zmianie. Zmieniają się ustroje, zmieniają epoki, zmieniają pokolenia, a chamstwo trwa – ponadczasowe, ponadustrojowe, opryskliwe, agresywne. Dlaczego? Co w nas takiego jest? Jaki diabeł judzi nasze dusze, wyzwala te odrażające, nikczemne zachowania?

„Nowa Res Publica", kwietniowy numer 2001 r. Celne impresje Marcina Króla o zachowaniu polskich kierowców: „Przede wszystkim brak jest jakiejkolwiek idei dobra wspólnego czy też wspólnego interesu. Ba, brak jest nawet dobrze pojętej idei interesu własnego... brak rozsądnej samooceny... postępowanie kierowców jest nieprzewidywalne. W sumie, polska droga to stan braku reguł, braku rozsądku i całkowitej wolnoamerykanki, ale czy cała Polska to nie to samo?".

Esej Mirosława Pęczaka pt. „Sami swoi" („Polityka" 9/2001):
Polak współczesny lubi „swojskie klimaty": „Coraz wyraźniej rysują się ostre podziały na swoje i obce, lokalne i uniwersalne". „Opozycja między swoimi i obcymi najbardziej klarowną postać przyjmuje w kulturach plemiennych i tradycyjnych, czyli wszędzie tam, gdzie jedynym dostępnym *universum* jest bezpośrednie doświadczenie". „Wszystko co zewnętrzne jest postrzegane jako zagrożenie dla istniejącego ładu, a stosunek do obcego świata polega na nieufności i odrzuceniu. Nasz swojak-nieudacznik nie zna reguł obcego świata, ale też i nie chce ich znać. Wiedzę zastępują mu stereotypy i uprzedzenia. W sumie preferuje się dziś to, co bezpretensjonalne, eklektyczne, biesiadne i lokalne".

Polska myśl obracała się zawsze wokół problemu wolności, nie demokracji. Nasze pisanie o tej ostatniej nie miało ani głębi, ani wagi.

12 sierpnia 2001

Słoneczna, upalna niedziela. Warszawa opustoszała, wszyscy wyjechali. W kawiarni w Alejach Ujazdowskich spotkanie z Wandą, która z Ełku przyjechała do swojej rodziny. Siedzi spocona, wyczerpana, oddycha z trudem. Ale mimo zmęczenia mówi bez przerwy – i tylko o swoich chorobach. Oprócz serca, oznajmia, wszystko mam chore. I wylicza – nerki, wątroba, nogi. Ma jakieś guzy, zrosty, przetoki. Jakieś chrypy, zadyszki, osłabienia. Niewydolność serca (a jednak!). Nadciśnienie, omdlenia, depresję. Ma nędzną emeryturę, którą musi wydawać na lekarstwa. Mieszkanie w ruinie. Ani do kogo się odezwać – wszyscy powymierali.

Mówi, nie daje mi dojść do głosu, nie sposób wcisnąć się ze słowem, więc nie mogę spytać, czy wie coś w ogóle o świecie, o życiu dookoła niej, o innych ludziach.

28 marca 2001

Po południu zebranie zarządu Fundacji Erolex. Po dwóch godzinach (zebranie trwało nadal) wyszedłem. Fantastyczna jest zdolność do siedzenia godzinami, ba, dniami całymi na zebraniach, na których właściwie nic się nie dzieje. Ktoś coś powie, potem inny coś powie, ale po co to wszystko mówią, po co? Żadnej dyscypliny, żadnego poczucia, że czas jest wartością. Pal sześć, że ktoś nie szanuje własnego czasu. Ale dlaczego zabiera czas innym? Dlaczego ich więzi, torturuje swoim byle jakim gadaniem, w którym nie ma ani sensu, ani tempa, ani żadnej myśli?

27 stycznia 2001

Konstancin. Sobota. Bez mrozu. Bez śniegu. Bez wiatru. Bez słońca. Dwugodzinny spacer po miasteczku, potem ścieżkami okolicznego lasu.

Kontrasty.

Bogactwo, a obok, przez siatkę, przez ogrodzenie – bieda. Wszystko, co się buduje, jest luksusowe – nie ma budownictwa zwyczajnego, mieszkaniowego. Wszędzie – tabliczki ostrzegawcze, że obiekt chroniony jest przez agencję Juventus. Samochody tej agencji krążą ulicami. Wszędzie szczekają psy – zajadle, wściekle.

A zarazem obok, naprzeciw tych białych dworków, pałaców, niemal – zamków – zabłocone, niewybrukowane ulice, krzywe, połamane chodniki, sterty śmieci, plastykowych butelek, metalowych, zardzewiałych puszek. I potłuczone latarnie, odrapane znaki drogowe.

To rozwój na wzór latynoamerykański, w ogóle na wzór trzecioświatowy. Rozwój, który nazywam – enklawowym: oazy rozświeconego bogactwa w morzu ciemności, opuszczenia, biedy. Niestety, ten typ pseudopostępu nigdy nie doprowadzi do rozwoju rzeczywistego i jednolitego, gdyż w warunkach strukturalnej nierówności coś zawsze musi być biedne, żeby coś było bogate.

Rozpalona, jarząca się kula słońca zbliżała się do mojego okna. Miała taki kolor jak metal, kiedy z pieca rusza lawina płynnej stali. Ten widok mnie przyciągał, ale jednocześnie odruchowo odsuwałem się z lękiem w głąb pokoju.

Walka między techniką a naturą, a ściślej – jak technika morduje naturę: latem jeździłem po Lubelszczyźnie. Kiedyś przy drogach rosły krzaki, w polach stały drzewa, wiatr łagodnie szumiał w zagajnikach i lasach. Ale teraz na wieś dotarły szybko i łatwo tnące piły mechaniczne i młodzi chłopcy mają nową, okrutną, hałaśliwą zabawę – krążą z tymi piłami w ręku po okolicy i wśród wycia i jazgotu motorów tną bez opamiętania napotkane krzaki, gołocą i ścinają pojedyncze drzewa, trzebią całe lasy.

Kilka pierwszych stron Faulknera *Światłość w sierpniu*. Gdzieś na południu Ameryki dziewczyna, która jest w ciąży, jedzie szukać chłopaka, który jest ojcem jej dziecka. Ma bose nogi, choć ma ze sobą buty. Ale zakłada je tylko w wyjątkowych, bardzo ważnych sytuacjach. Buty – wszędzie skarb, symbol znaczenia i prestiżu. Również w Polsce, ludzie na wsiach szli na mszę niedzielną boso, a buty wkładali dopiero w chwili, kiedy się już zbliżali do kościoła. W Rosji było podobnie. I na Bałkanach.

Sierpień 2001
List od Zosi Gebhard – poetki z Wrocławia: „W moim ogrodzie rozrasta się chorobliwy upał, chorobliwa zieleń, chorobliwy nadmiar wszelkiego robactwa – zakładają gniazda to szerszenie, to osy, wszędzie mrówki, ślimaki, pająki. Nie chce mi się wkraczać w to wszystko!"

2001
Ósmego sierpnia. Rano, idąc przez park, po raz pierwszy poczułem, że zbliża się jesień. Jeszcze nie było żadnych widocznych oznak – ani mgieł nad ziemią, ani żółci na drzewach. A jednak w powietrzu czuło się jakiś odcień chłodu, a także była w nim tak charakterystyczna dla wczesnojesiennych poranków świetlistość.

Jesień. Niedługo zaczną spadać kasztany. W parku wycięli ogromną, rozłożystą lipę, pień pokroili na grube plastry, plastry pokawałkowali na ciężkie polana. Co było żywą, strzelistą konstrukcją, leży teraz na ziemi jak stos porzuconego gruzu, ślad czegoś, co cieszyło ludzi, a teraz utraciło rację bytu, swoją użyteczność i sens.

Z *Dzienników* Anny Iwaszkiewicz.

W styczniu 1945 roku autorka dociera do Koluszek. Jeszcze trwa wojna. Jest wieczór, ciemno, mróz i wichura. Anna i jej znajoma docierają pod wskazany adres, ale gdy zapukały do drzwi „gospodyni zachowała się w stosunku do nas wręcz wrogo i oświadczyła, że nie będzie brała na noc nieznajomych do domu". Kobiety więc odchodzą i idą do następnego domu i oto „doznałyśmy tu wprost wzruszająco serdecznego przyjęcia". Jakie to polskie! Wrogość i życzliwość, chamstwo i grzeczność – obok siebie, ledwie oddzielone miedzą. Człowiek nigdy nie wie, na kogo natrafi, co go spotka. Ale skutki takiego nieobliczalnego, nieprzewidzialnego, niezrównoważonego otoczenia dla psychiki człowieka fatalne. Bo nie ma on poczucia bezpieczeństwa, spokoju, zaufania. Na widok nieznajomego, nie wiedząc, co go czeka, jest spięty, czujny, najeżony. Siedzi w nim lęk, czai się strach. Ktoś idzie? Lepiej mu zejść z drogi, ominąć na kilometr, stracić z oczu. Być samemu, jakaż to ulga!

W tychże *Dziennikach* ostatni zapis, z 1951:

„Dorobkiem największym w życiu jest wygrać swoją samotność. Nawet w cierpieniu, w okresach najdotkliwszych cierpień samotność musi stać się nie tym, przed czym się ucieka, a przeciwnie, musi być zawsze przystanią... człowiek jest szczęśliwy wtedy, kiedy czuje się szczęśliwy zostając sam w pokoju. Najważniejszą rzeczą w życiu i obowiązkiem każdego jest dokopać się w sobie do najgłębszej warstwy, gdzie mieszka już tylko szczęście".

Honor, godność, uczciwość, sumienie, prawdomówność – kiedyż to ostatni raz usłyszałem te słowa wypowiedziane w moim kraju w jakiejś zwykłej, codziennej rozmowie?

„Każda rzecz jest obdarzona tajemniczym językiem, ma swoją barwę i odrębność".

Virginia Woolf

Język będąc wyrażeniem, jest jednocześnie ograniczeniem, określa sposób przedstawiania rzeczywistości, a także jej interpretowania.

Inny temat i przedmiot, to także inny język, który tę inność i odrębność podkreśla i uzewnętrznia.

Optymizm wydaje się zawsze bardziej płytki, bardziej powierzchowny niż pesymizm. Optymista sprawia wrażenie kogoś, kto ślizga się po powierzchni, omija zdradliwe wiry i głębie, nie dostrzega ciemności, nie wierzy w piekło. Natomiast pesymista wydaje nam się kimś głębszym, zdolnym przeniknąć tajemnice życia, dotrzeć do jego bolesnego i tragicznego sedna. Dlatego, spragnieni pociechy, chętnie posłuchamy tego, co powie nam optymista, natomiast, tak naprawdę, wierzymy słowom pesymisty.

Gdy przeglądałem, po raz nie wiem już który, *Kłopot z istnieniem* Henryka Elzenberga, zwrócił moją uwagę wpis z 27 września 1942. Autor, mianowicie, notuje, że sztuka rokowań, to „często po prostu sztuka przemieszczania trudności" i wyjaśnia: „Jest, chciałoby się rzec, w pewnych rzeczach, jakaś nietykalna rezerwa niepojętości, której kombinacje inteligencji ludzkiej nie są w stanie ani usunąć, ani zmniejszyć..."

Głęboka, choć i fatalistyczna jest myśl, że w wyniku rokowań, negocjacji, układów kwantum zła pozostaje to samo, nie zmniejsza się, a tylko ulega przemieszczeniom, zmienia swoje pozycje i ewentualnie – formy.

Żyjemy pod różnymi niebami, o różnej intensywności błękitu i różnym stopniu zachmurzenia. Przypominają się słowa Ludwika Konińskiego, że nie może być wspólnych zasad, bo „nie ma żadnej wspólnej rzeczywistości".

Każde zjawisko, fenomen współczesności, zawiera w sobie niejednoznaczność, dwoistość, cechy pozytywne i negatywne jednocześnie.

Jedną z najważniejszych cech dzisiejszych sporów jest zasada nierozstrzygalności.

Wszechobecny dziś w mowie i w piśmie przedrostek post- jest dowodem, jak szybko w dzisiejszych czasach następują zmiany, jak prędko wszystko się zużywa, starze-

je i znika. Ale sytuacja, w której zewsząd jesteśmy otocze-
ni przez nieustannie mnożące się post- sprawia, że nasze
sądy i opinie nasiąkają dużą dozą relatywizmu – przestaje-
my przyjmować rzeczy tak zupełnie na serio, skoro wiemy,
że i tak każda idea, doktryna i moda, już nazajutrz będą
post-.

W przedmowie do swojego głównego dzieła *Świat jako
wola i przedstawienie* Arthur Schopenhauer pisze: „Posta-
nowiłem wskazać tu, jak należy czytać tę książkę, aby w
miarę możności ją zrozumieć. Ma ona przekazać jedną,
jedyną myśl. Ale mimo całego wysiłku nie znalazłem do
jej wyłożenia krótszej drogi niż cała ta książka". A książka
liczy (w polskim wydaniu), blisko 1800 stron. 1800 stron,
aby wyłożyć „jedną, jedyną myśl"!

Często spotykam w rozważaniach różnych autorów pytania przeciwstawne: „czy" – „czy"; „postęp czy regres", „dobro czy zło"?, a przecież w wielu wypadkach to „czy" chciałoby się zastąpić przez „i" – „postęp i regres jednocześnie",
„dobro i zło jednocześnie" – takie „i" oddaje lepiej złożo-
ność, wielostronność i wewnętrzną sprzeczność zjawisk.

10 kwietnia 2001
Czytam René Girarda *Kozła ofiarnego*. Potęga przesą-
du – jakże wielka! Lękano się wymówić słowa dżuma.
Nawet wymówić! Bo panowało przekonanie, że to wystarczyło, aby sprowadzić zarazę.

Za dużo wysiłku i energii myślowej zużywają ludzie na
zwalczanie absurdów i nonsensów wypowiadanych przez
nieobliczalnych durniów, zamiast poświęcić je rozwijaniu

i głoszeniu mądrych i ważnych myśli. Słowem – nie zniżaj się do poziomu ciemniaków, nie słuchaj tego, co mówią – bądź w swoim myśleniu arystokratą.

„Coraz powszechniej rozwija się dziś myślenie cudzym kosztem".

Ryszard Nycz

W piśmiennictwie europejskim mówi się – człowiek, jakby chodziło o człowieka w ogóle, a przecież autorzy mają na myśli tylko człowieka Zachodu, któremu – jakże mylnie, przypisują cechy uniwersalne. Tymczasem dwa wielkie doświadczenia, które ukształtowały mentalność i wrażliwość człowieka Zachodu – doświadczenia Odrodzenia i Oświecenia, są ludziom z innych niezachodnich cywilizacji zupełnie obce.

Roszczenia Zachodu do reprezentowania wartości uniwersalnych są coraz częściej kwestionowane przez inne kultury.

Wymiana listów między Heideggerem i Jaspersem. W jednym z listów z 1922 roku Jaspers skarży się na „współczesną europejską pustynię". A przecież żyją wówczas i tworzą Kafka, Joyce i Musil, Freud, Spengler, Bergson i Russell, a razem z nimi dziesiątki i dziesiątki innych znakomitości, wielkości!

„I wszelkie rozświetlenia otwierają tylko nowe otchłanie".

M. Heidegger, *Nietzsche*

Kategoria przybliżenia jest jedyną rzeczywiście możliwą. W niczym nie jesteśmy w stanie osiągnąć ideału, pełni, absolutu, ale drogą wysiłku woli, intuicji i wyobraźni możemy przybliżyć się do celu, a im bardziej to się uda, tym większa wartość tego, co osiągnęliśmy.

Amerykański socjolog Immanuel Wallenstein krytycznie ocenia wszelką analizę, jeśli jest zbyt *event-oriented*, zamiast być wystarczająco *structural*.

Zadając pytanie o przyszłość, jej treść i kształt, człowiek podświadomie zakłada, że wszystko będzie rozwijać się tak jak dotychczas, według znanych nam z doświadczenia i historii scenariuszy i praw, tyle że czegoś będzie więcej, a czegoś – mniej, na przykład, że będzie więcej dobrobytu, a mniej wojen. Tymczasem przyszłość może się ukształtować w zupełnie inny sposób, w rezultacie zmian głęboko rewolucyjnych, o wyniku nieprzewidywalnym, jako że charakteru tych zmian ani ich przebiegu jeszcze nie znamy albo jeszcze nie rozumiemy.

Dobrem zwyciężaj zło. Tak, to bywa możliwe, ale często za cenę jakże straszliwych ofiar!

Max Weber mówił zawsze o konieczności łączenia rozwiązań, dyskusji, rozmów o ekonomii ze sferą etyki. Uważał, że błędem o fatalnych skutkach było rozdzielenie tych dwóch pól działalności człowieka i ograniczenie ekonomii jedynie do cyfr, statystyki, praw rynku, mechanizmów giełdy.

A.B. mówi mi:
W pewnym momencie i bez żadnego wyraźnego powodu zaczynam odczuwać, jak wydobywają się ze mnie fale niechęci do kogoś, kogo znam i kto nie zrobił mi nic złego. Nie umiem określić przyczyny tego zjawiska. Jestem nim zakłopotany i zmartwiony. A jednak odczuwam tę niechęć na tyle silnie, że nie mam ochoty spotkać tej osoby, rozmawiać z nią. Jednocześnie obawiam się, że fale mojej niechęci docierają do tej osoby i zaczynają pobudzać z jej strony niechęć do mnie – niezawinionego przecież sprawcy tego zakłócenia!

Nienawidzimy tego, czego nie rozumiemy. Mniemamy, że to co niezrozumiałe zagraża nam, że z tego, co niepojęte, a więc ciemne i mroczne, może wydobyć się nagle jakaś siła wroga i niszczycielska, przed którą nie potrafimy się obronić. Ponadto nierozumienie czegoś upokarza nas, sugeruje naszą niezdolność do pojmowania, rozumienia.

Trzeba trzymać się z dala od toczących się sporów, bo są przepojone nienawiścią, jadem, trucizną. Nie chodzi w nich o to, by coś ustalić, ale żeby komuś podstawić nogę, wymierzyć cios, ogłuszyć. A potem chichotać, ale nie patrząc w lustro, bo w nim czyha na nas twarz, której wolałoby się nie widzieć.

Non omne licitum honestum (nie wszystko, co dozwolone, jest godziwe). To przysłowie przypomniało mi się, kiedy ktoś mówił o etyce wielu polityków: dla nich w dziedzinie zakazów istnieje tylko kodeks karny. Można robić wszystko, co nie jest owym kodeksem zakazane. I ci ludzie nie widzą w tym nic nagannego, nic haniebnego, podłego.

Prawa człowieka rozumiemy zbyt instytucjonalnie. Zwykle o łamanie tych praw oskarżamy państwo – rząd, biurokrację, policję. A przecież prawa człowieka może łamać inny człowiek, osoba najzupełniej pojedyncza i prywatna.

Mit jest projekcją naszych pragnień i marzeń, naszej potrzeby ładu. Ta projekcja wymaga postaci, bohatera, który spełniałby rolę ekranu, na jakim wyświetlamy swoje oczekiwania i nadzieje.

Proteusz – bóstwo morskie. Posiadał zdolność przekształcania się w różne postacie: tygrysa, lwa, smoka, węża, jaszczurki, strumyka, kamienia, płomienia, drewna. Przemieniał się w jakąś postać, kiedy chciał uniknąć natarczywych pytań.

To nie sądy wojenne wydają najwięcej wyroków śmierci. Nie żądni zemsty *mafioso* ani złowieszcze gangi. To są te miłe, delikatne panie w białych fartuchach, które w laboratoriach szpitali onkologicznych opisują w milczeniu to, co widzą w próbówkach, na zdjęciach, pod mikroskopem.

Nietzsche, pogardliwie: „służalstwo chwili". Służalcy chwili – politycy, dziennikarze, ludzie reklamy. Pracują w dziedzinach, w których wszystko szybko przemija. Przemija i nie pozostawia śladu.

> Kiedy umieramy,
> Wiatr w ten dzień przychodzi,
> Żeby nas stąd wymieść,
> Zatrzeć ślady naszych stóp.
> Wiatr wzbija kurzawę
> I nią zasypuje
> Ślady, które były,
> Gdzieżeśmy chodzili,
> Bo inaczej byłoby tak,
> Jak gdybyśmy dalej
> Wciąż jeszcze żyli.
>
> (Śpiew Buszmenów o śmierci).

Książki cytowane w *Lapidarium V*

Ibrahim Anwar, *The Asian Renaissance*, 1997
Jean Baudrillard, *Przed końce*m, tłum. Renata Lis, Wyd. Sic!, War-
    szawa 2001
Ulrich Beck, *Risk Society*, SAGE Publications, London 1992
Marc Bloch, *Pochwała historii*, tłum. Wanda Jedlicka, PWN, Warsza-
    wa 1962
Daniel J. Boorstin, *The Image*, Penguin Books, London 1962
Nicolas Bouvier, *Drogi i manowce*, tłum. Krystyna Arustowicz, wyd.
    Noir sur Blanc, Warszawa 2002
Michał Anioł Buonarroti, *Poezje*, tłum. Leopold Staff, PIW, Warsza-
    wa 1956
Ernst Cassirer, *Esej o człowieku*, tłum. Anna Staniewska, Czytelnik,
    Warszawa 1971
Gilbert K. Chesterton, *Ortodoksja*, tłum. Adam Szymanowski, Inst.
    Wyd. Pax, Warszawa 1998
Emil Cioran, *Zły demiurg*, tłum. Ireneusz Kania, Oficyna Literacka,
    Kraków 1995
Julio Cortazar, *W osiemdziesiąt światów dookoła dnia*, tłum. Zofia
    Chądzyńska, Czytelnik, Warszawa 1976
Czerwone oczy matki, wybrał i przełożył Zbigniew Stolarek, Iskry,
    Warszawa 1962
Karol Darwin, *Podróż na okręcie „Beagle"*, tłum. K. W. Szarski,
    KiW, Warszawa 1951
Marguerite Duras, *Pisać*, tłum. Magdalena Pluta, wyd. Świat Literac-
    ki, Izabelin 2001

126

Freeman Dyson, *Infinite in All Directions*, wyd. Harper and Row, New York 1988

Mircea Eliade, *Religia, literatura i komunizm. Dziennik emigranta*, tłum. Adam Zagajewski, wyd. Puls, Londyn 1990

Norbert Elias, *Przemiany obyczajów w cywilizacji Zachodu*, tłum. Tadeusz Zabłudowski, PIW, Warszawa 1980

Thomas S. Eliot, *Poezje*, wybór – Michał Sprusiński, Wyd. Literackie, Kraków 1978. Wiersz cytowany na s. 56 przełożył M. Sprusiński

Henryk Elzenberg, *Kłopot z istnieniem*, wyd. Znak, Kraków 1963

William Faulkner, *Światłość w sierpniu*, tłum. Maciej Słomczyński, Czytelnik, Warszawa 1975

Clifford Geertz, *O gatunkach zmąconych*, tłum. Zdzisław Łapiński, (w: *Postmodernizm* – red. Ryszard Nycz), wyd. Baran i Suszczyński, Kraków 1997

René Girard, *Kozioł ofiarny*, tłum. Mirosława Goszczyńska, Wyd. Łódzkie, Łódź 1987

Hate Speech, wyd. Helsiński Komitet Praw Człowieka, Belgrad 1995

Martin Heidegger, *Nietzsche*, t. I., tłum. Cezary Wodziński i inni, PWN, Warszawa 1998

Samuel P. Huntington, *Zderzenie cywilizacji*, tłum. Hanna Jankowska, wyd. Muza, Warszawa 1997

Anna Iwaszkiewiczowa, *Dzienniki i wspomnienia*, Czytelnik, Warszawa 2000

M. L. Kaschnitz, *Courbet*, tłum. Zofia Skulimowska, PIW, Warszawa 1981

Søren Kierkegaard, *Dziennik*, tłum. Antoni Szwed, wyd. KUL, Lublin 2000

Ludwik Krzywicki, *Kwestia rolna*, PWN, Warszawa 1967

Julian Krzyżanowski, *Henryk Sienkiewicz*, PIW, Warszawa 1956

T. E. Lawrence, *Siedem filarów mądrości*, tłum. Jerzy Schwakopf, PIW, Warszawa 1971

Tadeusz Makowski, *Pamiętnik*, PIW, Warszawa 1961

Katherine Mansfield, *Dziennik*, tłum. Teresa Tatarkiewiczowa, Czytelnik, Warszawa 1963

Albert Memmi, *Portrait d'un Juif*, Editions Buchet, Chastel, Corrêa 1964

Albert Memmi, *The Colonizer and the Colonized*, The Orion Press, New York 1965

Riccardo Orizio, *Lost White Tribes*, Secker and Warburg, London 2000

Jan Patočka, *Eseje heretyckie z filozofii dziejów*, tłum. Andrzej Czcibor-Piotrowski i inni, wyd. Fundacja Aletheia, Warszawa 1998

Beata Pawlak, *Mamuty i petardy*, PWN, Warszawa 2001

Rainer Maria Rilke, *Malte*, tłum. Witold Hulewicz, Czytelnik, Warszawa 1979

Rozmowy z Cioranem, tłum. Ireneusz Kania, wyd. KR, Warszawa 1999

Jean-Christophe Rufin, *L'empire et les nouveaux barbares*, Éditions Jean-Claude Lattès, 1991

Antoine de Saint-Exupéry, *Ziemia, planeta ludzi*, tłum. W. i Z. Bieńkowscy, Wyd. Literackie, Kraków 1971

Arthur Schopenhauer, *Świat jako wola i przedstawienie*, tłum. Jan Garewicz, PIW, Warszawa 1994

Jerzy Stempowski, *Chimera jako zwierzę pociągowe*, Czytelnik, Warszawa 2001

Max Weber, *Etyka protestancka a duch kapitalizmu*, tłum. Jan Miziński, wyd. Test, Lublin 1994

Leon Wieseltier, *Kaddish*, wyd. Alfred A. Knopf, New York 1998

Jerzy Wolff, *Wybrańcy sztuki*, PIW, Warszawa 1982

Tadeusz Zieliński, *Legenda o złotym runie*, Wyd. Literackie, Kraków 1972

Florian Znaniecki, *Ludzie teraźniejsi a cywilizacja przyszłości*, PWN, Warszawa 1974